LA POÉSIE LYRIQUE AU MOYEN AGE
II

avec une Notice biographique, une Notice historique et littéraire,
des Notes explicatives, une Documentation thématique,
des Jugements, un Questionnaire et des Sujets de devoirs,

par

GUILLAUME PICOT
Agrégé de l'Université

LIBRAIRIE LAROUSSE
17, rue du Montparnasse, et boulevard Raspail, 114
Succursale : 58, rue des Écoles (Sorbonne)

TABLEAU CHRONOLOGIQUE
DE LA POÉSIE LYRIQUE AU MOYEN ÂGE

Les dates citées dans ce tableau indiquent, d'une façon qui ne peut être souvent qu'approximative, l'époque à laquelle les écrivains cités ont créé leurs œuvres.

XIᵉ SIÈCLE. — Chansons primitives d'amour et de danse, dont quelques refrains nous ont été conservés dans des œuvres postérieures.

FIN DU XIᵉ SIÈCLE ET DÉBUT DU XIIᵉ SIÈCLE. — **Guillaume IX d'Aquitaine,** le plus ancien des troubadours.

XIIᵉ SIÈCLE. — *Premier tiers :* Chansons de toile ou d'histoire (*Renaud, Orior, Belle Aélis, Belle Idoine,* etc.).
Vers 1130-1150 : Marcabru, Jaufré Rudel.
Vers 1150-1200 : **Bertran de Born, Bernard de Ventadour, Guiraut de Borneil, comtesse de Die, Raimbaut d'Orange.**
Vers 1160 : **Huon d'Oisy,** seigneur de Montmirail. **Chrétien de Troyes.**
Vers 1180-1190 : Premières chansons de croisade. **Gace Brulé, châtelain de Coucy, Conon de Béthune, Blondel de Nesle.**
1194 : Chanson de captivité de **Richard Cœur de Lion.**

XIIIᵉ SIÈCLE. — Chansons de **Gautier de Dargies, Gontier de Soignies.**
1210 : Chansons de croisade de **Hugues de Berzé, Guiot de Dijon.** Chansons de **Guiot de Provins.**
Chansons de **Monniot d'Arras, Gautier d'Epinal, Jean de Brienne.**
Vers 1220 : Chansons pieuses de **Gautier de Coincy.**
1225-1240 : Chansons de **Thibaut de Champagne,** roi de Navarre.
Vers 1230 : **Peire Cardenal.**
1250-1270 : Chansons d'**Adam le Bossu** (dit aussi **Adam de la Halle**), de **Colin Muset.**
Chansons de **Richard de Fournival** et de **Rutebeuf.**
Remaniement des chansons d'histoire, par **Audefroy le Bâtard,** d'Arras.
Nombreuses chansons anonymes, de date souvent imprécise, rondeaux, ballettes, estampies, motets, lais.

XIVᵉ SIÈCLE. — 1320-1350 : **Guillaume de Machaut :** virelais, rondeaux, chants royaux, ballades.
Dernier quart : **Jean le Sénéchal :** *le Livre des cent ballades.*
1360-1390 : **Froissart.**
1370-1400 : **Eustache Deschamps :** *l'Art de Dictier,* rondeaux, virelais, ballades.

XIVᵉ-XVᵉ SIÈCLE. — 1390-1430 : **Christine de Pisan :** ballades, rondeaux, virelais, complaintes amoureuses.

XVᵉ SIÈCLE. — 1415-1465 : **Charles d'Orléans.**
1450-1463 : **François Villon.**

© *Librairie Larousse,* 1975.   ISBN 2-03-034763-9

LA POÉSIE LYRIQUE
AU MOYEN AGE
XIIIe-XVe SIÈCLE

AVERTISSEMENT

Ce volume est disposé, dans sa première partie, comme le premier tome de la Poésie lyrique au Moyen Age : les textes des poèmes sont placés sur la page de gauche et leur transcription en français moderne sur la page de droite. Dans la seconde partie, consacrée à la poésie à partir du XIVe siècle, seul le texte original est donné : les mots difficiles sont expliqués par des notes marginales. L'évolution de la langue rend en effet la compréhension de ces poèmes beaucoup plus aisée.

LE CHATELAIN DE COUCY
ET LA DAME DE FAËL

La tragique aventure du châtelain de Coucy et de la dame de Vergy a rendu ces deux noms célèbres, et un cycle de légendes tourne autour de cette macabre histoire. Raoul, ou Renaud de Coucy, accompagna Richard Cœur de Lion en Palestine; il trouva la mort devant les murs de Saint-Jean-d'Acre en 1191. En France, il avait laissé une maîtresse, Gabrielle de Vergy. Coucy avait chargé son écuyer d'apporter son cœur à sa maîtresse. Or le mari surprit l'affaire, et sa vengeance fut effroyable : il fit servir à table le cœur du chevalier et révéla ensuite à sa femme quel affreux plat il lui avait fait servir. La dame de Vergy, inconsolable, se laissa mourir de faim.

Cette histoire est racontée dans le *Roman du châtelain de Coucy* (début du XIIIe s.). Dans de nombreux poèmes allemands et anglais, le même malheur fut aussi attribué à l'Italien Guiscard, à l'Espagnol Astorga et, chez nous, au troubadour Guillaume de Cabestaing. Un trouvère normand, Jean Renaut, auteur du *Lai d'Ignaures*, voulut corser l'histoire en prêtant à Ignaures douze maîtresses qui devront se partager son cœur pour satisfaire la vengeance de douze maris furieux! Signalons enfin la nouvelle du *Décameron*, où Boccace prête à la reine de Navarre le récit suivant : le mari condamne sa femme à ne boire dorénavant que dans le crâne de son amant.

En réalité, cette légende, d'origine obscure, a été appliquée après coup à un chevalier-poète qui s'appelait sans doute Gui de Coucy, tandis qu'on identifiait à la châtelaine de Vergy la dame de Faël, sous le nom de laquelle étaient écrits certains poèmes, qui semblaient une réponse à ceux de Coucy.

I. CHANSON DE CROISADE
DU CHÂTELAIN DE COUCY

1. A vos, Amors, plus k'a nule autre gent,
Est bien raison ke ma dolor complaigne,
Kar il m'estuet partir outreement
Et dessevrer de ma loial compaigne.
5 Et kant la pert, n'est riens qui me remaigne,
Et sachiez bien, Amors, seürement,
S'onc nus moru por avoir cuer dolent,
Jamais par moi n'iert meüz vers ne lais.

II. Beaus sire Dieus, k'iert il donc, et coment?
10 Convenra il qu'en la fin congié preigne?
Oïl, par Dieu, ne puet estre autrement :
Senz li m'estuet aler en terre estraigne.
Or ne cuit nus que granz maus ne sofraigne,
Quant de li n'ai confort n'alegement,
15 Ne de nule autre amor joie n'atent,
Fors ke de li; ne sai se c'iert ja mais.

III. Beaus sire Dieus, k'iert il del consirrer
Del grant solaz et de la compaignie
Et des deduiz ke me soloit mostrer
20 Cele qui m'est dame, compaigne, amie?
Et quant recort sa simple cortoisie,
Et les douz moz ke sueut a moi parler,
Coment me puet li cuers el cors durer?
Quant ne s'en part, certes, mout est mauvais.

I. CHANSON DE CROISADE
DU CHÂTELAIN DE COUCY

Cette chanson courtoise a été composée en 1191 lors de la troisième croisade. Elle est formée de six strophes de huit vers, chacune sur trois rimes. Ces strophes sont liées deux à deux par la répétition des mêmes rimes, liées en outre toutes les six par le retour de la même rime au dernier vers. Elles sont liées aussi par la symétrie de leur construction, car chacune d'elles se divise en deux périodes de quatre vers, et les rimes se distribuent dans toutes les six selon un dessin uniforme. Le poème est écrit en dialecte picard.

Traduction :

I. A vous, Amour, plus qu'à nul autre être, il est bien raison que ma douleur se plaigne, car il me faut partir outre-mer et me séparer de ma loyale compagne. Et puisque je la perds, il n'est rien qui me reste, et sachez bien, Amour, assurément, si jamais quelqu'un ne mourut de mal de cœur, jamais par moi ne sera composé vers ni lai.

II. Beau Seigneur Dieu, qu'en sera-t-il donc et comment ? Conviendra-t-il finalement que je parte ? Oui, par Dieu, il n'en peut être autrement : sans elle il me faut aller en terre étrangère. Or que nul ne croie que grand mal ne me tourmente, quand d'elle je n'aurai réconfort ni consolation : d'aucune autre je n'attends amour ni joie, sauf d'elle ; je ne sais si cela aura jamais lieu.

III. Beau Seigneur Dieu, à quoi bon me priver de la grande consolation et de la compagnie et des plaisirs que m'apportait celle qui m'était dame, compagne, amie ? Et quand je me remémore sa simple courtoisie, et les doux mots qu'elle a coutume de m'adresser, comment mon cœur en moi peut-il tenir ? Certes, il ne s'en peut départir, il souffre fort.

25   IV. Ne me vueut pas Dieus por noient doner
          Toz les deduis k'ai eüz en ma vie,
          Ainz les me fait chierement comparer,
          S'ai grant peor cist loiers ne m'ocie.
30   Merci, Amors, s'onc dieus fist vilenie,
          Com vilains fais bone amor dessevrer;
          Ne ja ne puis l'amor de moi oster,
          Et si m'estuet ke je ma dame lais.

       V. Or seront lié li faus losengeor[1],
          Cui tant pesoit des biens qu'avoir soloie;
35   Mais ja de ce n'iere pelerins jor
          Ke je vers eus bone volenté aie.
          Por tant porrai perdre tote ma voie;
          Ke tant m'ont fait de mal li traïtor,
          Se Dieus voloit k'il eüssent m'amor,
40   Ne me porroit chargier plus pesant fais.

       VI. Je m'en vois, dame; a Dieu le creator
          Comant vo cors, en kel lieu ke je soie;
          Ne sai se ja verrez mais mon retor :
          Aventure est ke ja mais vos revoie.
45   Por Dieu vos pri, kel part ke li cors traie,
          Ke vos covenz tenez, vieigne o demor.
          Et je pri Dieu k'ensi me doinst onor
          Com je vos ai esté amis verais.

---

1. *Losengeor* : flatteurs. Dérivé de *los*, vieux mot venant du latin *laus*.

IV. Dieu ne me veut donner pour rien toutes les voluptés que j'ai eues en ma vie, mais il me les fait très cher acheter, et j'ai grand-peur que ce prix ne me tue. Merci, Amour, si jamais dieu fit vilenie, comme un vilain tu brises un bon amour; je ne puis arracher de moi l'amour, et pourtant il me faut abandonner ma dame.

v. Alors ils seront joyeux les [rivaux] flatteurs, à qui tant pesait la fortune de mon bonheur. Mais jamais je ne serai si bon pèlerin que j'aie bon vouloir à leur égard. Pour autant, je pourrai perdre tout le bénéfice de mon pèlerinage; car les traîtres m'ont fait tant de mal que, si Dieu voulait qu'ils eussent l'objet de mon amour, il ne me pourrait charger d'un faix plus pesant.

vi. Je m'en vais, dame; à Dieu, le Créateur, je vous recommande, en quelque lieu que je sois; je ne sais si jamais vous verrez mon retour; il est possible que jamais je ne vous revoie. Au nom de Dieu, je vous prie, en quelque lieu que je sois, de tenir vos promesses, quoi qu'il advienne. Et je prie Dieu qu'il m'accorde autant d'honneur que j'ai été pour vous un ami sûr.

─────── **QUESTIONS** ───────

— La composition est classique : à chaque strophe correspond un thème lyrique. Enumérez ces thèmes lyriques.

— Dans ce recueil et dans le précédent figurent des poèmes développant les mêmes thèmes : citez-en quelques-uns.

— L'ensemble de ces thèmes a fini par constituer une mode littéraire : l'*amour courtois*. Essayez de le définir.

— Citez des œuvres classiques sur lesquelles l'influence de la mode de l'*amour courtois* est évidente.

— Quels effets pathétiques contient la dernière strophe? Comment s'accordent-ils avec la légende du châtelain de Coucy?

II. CHANSON
DE LA DAME DE FAËL

I. Chanterai por mon corage
   Que je vueil reconforter :
   Car avec mon grant damage
   Ne vueil morir n'afoler;
5   Quant de la terre sauvage
   Ne vois nu lui retourner
   Où cil est qui m'assonge
   Le cuer quand j'en oi parler.

   Dex! quant crieront outree,
10   Sire, aidiez au pelerin
   Por qui suis espoentée,
   Car félon est Sarrasin.

II. Je soufferrai mon damage
   Tant que l'an verrai passer.
15   Il est en pelerinage,
   Dont Dex le lait retorner!
   Et, maugré tot mon lignage,
   Ne quiers ochoison trover
   D'autre fare mariage :
20   Fol est qui j'en oi parler.

III. De ce sui au cuer dolente
   Que cil n'est en cest païs
   Qui si sovent me tourmente.
   Je n'en ai ne jeu ne ris.
25   Il est beau et je suis gente.
   Sire Dex, pour quel feis ?
   Quant l'un à l'autre atalente
   Por coi nous as departis ?

II. CHANSON

DE LA DAME DE FAËL

Ce poème comprend en tout cinq strophes, la première et la dernière (que nous ne donnons pas) étant suivies d'un refrain de quatre vers. Chaque strophe est faite sur deux rimes alternés; les deux premières strophes sont construites sur les mêmes rimes, et ainsi des deux strophes suivantes.

Traduction :

I. Je chanterai pour mon cœur que je veux réconforter : car, avec mon grand chagrin, je ne veux mourir ni perdre le sens; quand de la terre sauvage je ne vois nul revenir, où est celui qui m'émeut le cœur quand j'en ouis parler.

Dieu! Quand ils crieront « En avant! », Seigneur, soyez propice au pèlerin pour qui je suis épouvantée, car félon est le Sarrasin.

II. Je supporterai mon malheur tant que je verrai l'an s'écouler. Il est en pèlerinage, dont Dieu le laisse revenir! Et malgré tout mon lignage, je ne cherche à trouver l'occasion de faire un autre mariage : fol est qui j'en entends parler.

III. De ceci en mon cœur je souffre : qu'il n'est plus en ce pays, celui pour qui, si souvent, je me tourmente. Je n'en ai ni jeu ni ris. Il est beau et je suis gente. Seigneur Dieu, pourquoi fais-tu cela? Quand l'un à l'autre s'attache, pourquoi nous as-tu séparés?

IV. De ce sui en bone atente
30   Que je son homage pris.
           Et quant la douce ore vente
           Qui vien de ce doux païs
           Où cil est qui m'atalente
           Volontier i tors mon vis :
35   A donc m'est vis que j'el sente
           Par dessoz mon mantel gris.

           [...........................]

45   Dex! Quant crieront outree,
           Sire, aidiez au pelerin
           Por qui suis espoentée,
           Car félon est Sarrasin.

GACE BRULÉ

CHANSON

I. Les oisillons de mon païs
           Ai oïz en Bretaigne;
           A lor chant m'est il bien a vis
           Qu'en la douce Champaigne
5   Les oï jadis
           Se n'i ai mespris.
           Il m'ont en si dous penser mis
           Qu'a chançon fere me sui pris
           Tant que je parataigne
10   Ce qu'Amours m'a lonc tens promis.

IV. De ceci je suis en bonne attente : que j'ai reçu sa foi. Et quand la douce brise vente, qui vient de ce doux pays où est celui qui me plaît, volontiers vers elle je tourne mon visage; alors il me semble que je le sens par-dessus mon manteau gris.

[...]

Dieu! Quand ils crieront : « En avant! », Seigneur, soyez propice au pèlerin pour qui je suis épouvantée, car félon est le Sarrasin.

─────── QUESTIONS ───────

— Quel est le thème dominant de cette chanson de croisade? N'est-il pas le même que celui de la chanson précédente? Quelles sont toutefois les différences?

— Étudiez l'expression du sentiment dans ce poème. Quels détails originaux révèlent la sensibilité propre de celle qui s'exprime ici?

GACE BRULÉ

L'activité de ce poète paraît s'étendre sur le dernier quart du XIIe siècle et les premières années du XIIIe. D'origine champenoise, il fut en rapport avec Thibaut III, plutôt qu'avec Thibaut IV, le chansonnier, mais son principal protecteur fut sans doute Geoffroi II, comte de Bretagne, fils du roi d'Angleterre Henri II. Il nous a laissé une trentaine de pièces d'une inspiration souvent gracieuse et personnelle, dans la mesure où il était possible d'innover en développant une matière en quelque sorte imposée. Ses chansons, avec celles du châtelain de Coucy et du roi de Navarre, étaient considérées comme les meilleures de toutes. La chanson suivante est une des plus célèbres de Gace Brulé. On trouvera tome I, page 74, une *aube* du même auteur.

CHANSON

Traduction :

I. Les oisillons de mon pays j'entendis en Bretagne. Il me semble bien à leur chant que je les entendis jadis en Champagne, si je ne me trompe. Ils m'ont mis en si douce pensée que j'ai entrepris de faire une chanson jusqu'à ce que j'obtienne ce qu'Amour m'a longtemps promis.

II. De longue atente m'esbahis
  Sanz ce que je m'en plaigne;
Ce me tout¹ le gieu et le ris;
  Nus cui amours destraigne

15 N'est d'el ententis.
  Mon cors et mon vis
Truis si mainte fois entrepris
Qu'un fol semblant i ai apris.
  Qui qu'en amor mespraigne,

20 Ainc, certes, plus ne le mesfis.

III. En besant mon cuer me ravi
  Ma douce dame gente;
Trop fu fous quant il me guerpi²
  Pour li qui me tormente!

25 Las! ains nel senti,
  Quant de moi parti;
Tant doucement le me toli
Qu'en sospirant le trest a li;
  Mon fol cuer atalente,

30 Mais ja n'avra de moi merci.

IV. D'un beser dont me membre si
  M'est avis, en m'entente,
Qu'il n'est hore, ce m'a traï,
  Qu'a mes levres nel sente.

35 Quant elle souffri
  Ce que je la vi,
De ma mort que ne me gari!
Elle set bien que je m'oci
  En ceste longue atente,

40 Dont j'ai le vis teint et pali.

---

1. *Tout* (du latin *tollit*) : ôte, enlève; **2.** *Guerpi* : du verbe *guerpir* (origine germanique), laisser, abandonner.

II. Je suis étonné de cette longue attente, sans m'en plaindre. Cela m'ôte pourtant la joie et la gaieté, car celui que l'amour tourmente ne songe guère à autre chose. Je me trouve si souvent troublé de corps et de visage que j'y ai pris l'air d'un fou. Si quelqu'un a commis une faute envers l'amour, jamais, certes, moi, je ne lui ai nui.

III. En me donnant un baiser, elle m'a volé mon cœur, ma douce dame gente. Je perdis la tête quand il m'abandonna pour elle qui me tourmente. Hélas! je n'ai rien senti quand il se sépara de moi. Elle me l'ôta si doucement qu'elle l'attira dans un soupir. Mon cœur insensé s'est laissé séduire, mais jamais elle n'aura pitié de moi.

IV. D'un baiser dont je garde le souvenir, il me semble, dans mon idée, qu'il n'est pas d'instant — et c'est ce qui m'a trahi — que je ne le sente. Quand elle me permit de la voir, pourquoi ne m'a-t-elle pas préservé de la mort? Elle sait bien que je meurs de cette longue attente et que j'en ai le teint pâle et décoloré.

v. Puis que me tout rire et juer
Et fet morir d'envie,
Trop souvent me fet comparer
Amours sa compeignie.

45
Las! n'i os aler,
Car pour fol sembler
Me font cil[1] faus proiant d'amer.
Morz sui quant jes i voi parler;
Que point de tricherie
50
Ne puet nus d'eus en li trouver.

RICHARD CŒUR DE LION

ROTROUENGE DE LA CAPTIVITÉ

i. Ja nus on pris ne dira sa raison
Adroitement s'ensi con dolenz non;
Mais par confort puet il faire chançon.
Mout ai d'amis, mais povre sont li don;
5
Honte en avront se por ma reançon
Sui ça[2] dous iverz pris.

ii. Ce sevent bien mi ome et mi baron,
Englois, Norment, Poitevin et Gascon[3]
Que je n'avoie si povre compaignon
10
Cui je laissasse, por avoir[4], en prison.
Je nel di pas por nule retraçon;
Mais encor sui je pris.

---

1. Il s'agit des rivaux du poète; 2. *Ça* : en ça, depuis le jour de ma capture; 3. Les possessions du roi d'Angleterre s'étendaient sur le continent; 4. *Avoir* : infinitif pris substantivement, biens, fortune; le sens est donc : par défaut d'argent.

v. Depuis qu'il m'ôta le rire et la joie et qu'il me fait mourir d'envie, l'amour m'a fait payer bien cher sa compagnie. Hélas! je n'ose y aller, car, par leurs mensonges, ils me font passer pour un faux amant. Je suis mort quand je les vois lui parler, car nul d'entre eux ne saurait trouver en elle la moindre hypocrisie.

——— QUESTIONS ———

— Comment le sentiment de la nature est-il associé à ce poème?

— Montrez que le poète donne un ton original au thème traditionnel du désespoir d'amour en insistant surtout sur les ravages physiques du chagrin. Relevez les vers les plus caractéristiques à cet égard.

— Étudiez la versification du poème.

RICHARD CŒUR DE LION

ROTROUENGE DE LA CAPTIVITÉ

Voici la célèbre chanson que le roi Richard Cœur de Lion, retenu captif en Allemagne, envoya aux siens pour leur rappeler son existence. Bien qu'elle ne porte pas ce titre dans les manuscrits, elle est le plus souvent classée dans la catégorie des *rotrouenges*, chansons dépourvues de caractère épique, mais habituellement munies d'un refrain. On sait qu'en 1193 le roi d'Angleterre, au retour de la croisade, fut pris par le duc d'Autriche, dont il traversait incognito les terres, et livré à l'empereur Henri VI. Il fut relâché en 1194, après avoir payé une énorme rançon.

La chanson est composée de six strophes de cinq vers monorimes de dix syllabes et d'un refrain variable de six syllabes terminé par le mot *pris*.

Traduction :

I. Jamais un prisonnier n'exprima clairement sa pensée, si ce n'est comme un homme triste. Mais, pour se réconforter, il peut faire une chanson. J'ai beaucoup d'amis, mais peu généreux. Ils en auront la honte, si, faute de rançon, ma captivité dure ici deux hivers.

II. Ils savent bien, mes hommes et mes barons, Anglais, Normands, Poitevins et Gascons, que je n'avais si pauvre compagnon que je laissasse en prison faute d'argent. En le disant, je ne fais aucun reproche; mais je suis encore prisonnier.

III. Or sai je bien de voir certainement
Que morz ne pris n'a ami ne parent,[1]
15 Quant on me lait por or ne por argent.
Mout m'est de moi, mais plus m'est de ma gent,
Qu'après ma mort avront reprovier grant,
Se longuement sui pris.

IV. N'est pas merveille se j'ai le cuer dolent,
20 Quant li miens sire met ma terre en torment[2]
S'or li membrast de nostre sairement
Que nos feïmes andoi communaument[3],
Bien sai de voir que ça enz longement
Ne seroie pas pris.

25 V. Ce sevent bien Angevin et Torain,
Cil bacheler[4] qui or sont riche et sain,
Qu'encombrez sui loinz d'euz en autrui main.
Forment m'amoient, mais or ne m'aiment grain[5].
De beles armes sont ore vuit cil plain[6]
30 Por tant que je suis pris.

VI. Mes compaignons cui j'amoie et cui j'ain,
Ceus de Caheu[7] et ceus de Percherain,
Me di, chançon, qu'il ne sont pas certain :
Qu'onques vers eus nen oi cuer faus ne vain.
35 S'ils me guerroient, il font mout que vilain,
Tant con je serai pris.

---

1. Pensée proverbiale répandue sous la forme : *Home murt n'a ami*; **2.** Le roi Philippe Auguste avait profité de la captivité de Richard pour envahir la Normandie; **3.** Allusion au traité conclu le 30 décembre 1190 entre Philippe Auguste et Richard, en vertu duquel chacun s'engageait à défendre les possessions de l'autre tant que durerait la croisade; **4.** *Bacheler* : jeunes gens de noble famille; **5.** *Grain* : nom employé en renfort de négation, comme *pas, point, mie, goutte;* **6.** Richard s'était illustré par les armes, aussi bien dans les tournois qu'à la guerre; **7.** Peut-être une allusion à son compagnon Ansel de Cayeux.

III. Je sais maintenant, à n'en plus douter, que le mort et le prisonnier n'ont plus ni ami ni parent, puisqu'on m'abandonne pour un peu d'or ou d'argent. C'est fâcheux pour moi, mais plus encore pour les miens qui, après ma mort, seront sérieusement blâmés, si je reste longtemps prisonnier.

IV. Il n'est pas étonnant que j'aie le cœur affligé, quand mon seigneur laisse violer ma terre. S'il lui souvenait du serment que nous échangeâmes, je sais bien que je ne resterais pas longtemps ici prisonnier.

V. Ils savent bien, les Angevins et les Tourangeaux, ces jeunes gens qui à cette heure sont riches et bien portants, que je souffre loin d'eux, au pouvoir d'autrui. Ils m'aimaient bien, mais maintenant ils ne m'aiment plus. Et ces campagnes sont privées de beaux faits d'armes, depuis que je suis prisonnier.

VI. A mes compagnons que j'aimais et que j'aime, ceux de Cayeux et ceux de Percherain, va dire, ma chanson, qu'ils ne sont pas fidèles, alors que mon cœur ne fut jamais pour eux ni faux ni versatile. Ils se conduiront comme des vilains, s'ils me font la guerre tant que je serai prisonnier.

QUESTIONS

— Quels sont les différents sentiments qui se partagent le cœur du captif ? Comparez ce poème de la captivité à ceux de Charles d'Orléans (p. 120).

— Ce poème est-il seulement une complainte ? Ne contient-il pas aussi un appel du roi à ses compagnons d'armes, et même une menace ?

CONON DE BÉTHUNE

I. CHANSON DE CROISADE

I.
Bien me deüsse targier
De canchon faire et de mos et de cans,
Cant me covient eslongier
De le meillour de toutes les vaillans;
5 Si en puis bien faire voire vantanche,
Ke je fas plus, chertes, ke nus amans,
Si en sui mout endroit l'ame joians,
Mais dou cors ai et pitié et pesanche.

II.
On se doit bien esforchier
10 De Deu servir, ja n'i soit li talans,
Et le car fraindre et plaissier[1],
Ki tous jours est de pechier desirans;
Adont voit Deus le double penitanche.
Hé, las! se nus se doit sauver dolans,
15 Dont doit par droit me merite estre grans,
Car plus dolens ne se part nus de Franche[2].

III.
Vous ki dismés[3] les croisiés,
Ne despendés mie l'avoir ensi;
Anemi Deu en seriés.
20 Dieus! Ke poront faire si anemi,
Cant tuit li saint trenleront de dotanche,
Devant chelui ki onkes ne menti!
Adont seront pecheour mal bailli,
Se se pitiés ne cuevre se poissanche[4].

---

1. *Plaissier* (de *plexus*, participe de *plectere*) : courber, plier, contraindre; 2. Entendez : si la souffrance est une condition du salut, je l'ai mieux mérité que quiconque; 3. *Dismés* : de *decimare*, prélever la dîme. Allusion à la dîme *saladine*, d'après laquelle tous ceux qui ne prendraient pas la croix devraient payer le dixième de leurs revenus et de la valeur de leurs meubles. La levée de cette dîme fut l'occasion de nombreux abus (1188); 4. Allusion au Jugement dernier et à la miséricorde divine.

CONON DE BÉTHUNE

Le baron Conon de Béthune a dû composer les quelques chansons qui nous sont parvenues dans les dernières années du XIIe siècle et les toutes premières du XIIIe. Villehardouin rend compte du rôle brillant qu'il joua dans la IVe croisade. Il venait d'accéder à la régence de l'Empire latin quand il mourut (décembre 1219 ou 1220). C'est à une jeunesse tout entière passée à la cour de Flandre, très ouverte aux poètes (Chrétien de Troyes y reçut des mains du comte Henri le livre d'où il tira son *Perceval*), qu'il dut probablement sa vocation de rimeur. Un de ses proches, Huon III d'Oisy, châtelain de Cambrai (auquel il est rendu hommage à la fin de la première chanson de croisade citée ici) s'occupa de sa formation d'écrivain.

Celle-ci n'eut rien d'original. Dans ses chansons, on retrouve tous les thèmes traditionnels. De cet ensemble, bourré de lieux communs, émergent deux traits relativement originaux : une énergie, qui vient peut-être d'une certaine conviction quand il parle politique ou religion, et de la fermeté quand il développe un sentiment. Sa langue comporte de nombreux traits picards.

I. CHANSON DE CROISADE

Traduction :

I. Je devrais bien m'abstenir de composer une chanson, paroles et musique, alors qu'il me faut quitter la meilleure des meilleures. Certes, je pourrais m'en vanter, car je fais plus qu'un autre amant. Mais si mon âme se réjouit, mon corps souffre péniblement.

II. Chacun se doit bien efforcer de servir Dieu bon gré, mal gré, de faire céder et de soumettre la chair toujours prête au péché. Dieu reconnaît alors la double pénitence. Hélas! si quelqu'un doit se sauver par ses douleurs, je mérite sans doute une grande récompense, car nul ne quitte la France plus douloureusement.

III. Vous les croisés, qui prélevez la dîme, ne dépensez pas l'argent si follement, car vous seriez les ennemis de Dieu. Dieu! que pourront faire ses ennemis, quand tous les saints trembleront de peur devant celui qui jamais ne mentit. Alors les pécheurs seront bien mal lotis, si sa pitié ne tempère sa puissance.

IV.

25   Ne ja por nul desirier
      Ne remanrai chi avuec ches tirans,
      Ki sont croisié à loier
      Por dismer clers et borjois et serjans;
      Plus en croisa covoitiés ke creanche.
30   Mais chele crois ne lor iert ja garans,
      A nul croisié, car Deus est si poissans
      Ke il se venge a peu de demoranche[1].

V.

      Li keus s'en est ja vengiés
      Des haus barons ki or li sont failli.
35   C'or les voussist empirier
      Ki sont plus vil ke onkes mais ne vi.
      Dehait li ber ki est de tel sanlanche
      Com li oisiaus ki conchie sen ni[2]!
      Peu en i a n'ait s'en regne honi,
40   Por tant k'il ait sor ses homes poissanche.

VI.

      Ki ches barons empiriés
      Sert sans eür, ja n'avra tant servi
      K'il lor en prende pitiés;
      Por chou fait bon Dieu servir, ke je di
45   K'en lui servir n'a eür ne cheanche :
      Ki bien le sert, et bien li est meri.
      Pleüst a Deu c'Amours fesist aussi
      Envers tous chiaus ki en li ont fianche!

ENVOI : Or ai jou dit des barons me sanlanche;
50   Se lor en poise, de chou ke je le di,
      Si s'en prennent a men maistre d'Oisi[3]
      Ki m'a apris a canter des enfanche.

---

1. Le poète pousse une charge à fond contre les barons qui ne se croisent que par intérêt. On cite le cas d'un templier surpris à dérober les tributs des fidèles; **2.** On notera la vigueur de cette comparaison. Le début de la strophe fait allusion à un désastre récent survenu aux croisés; **3.** Huon III d'Oisy, seigneur de Montmirail, parent de Conon de Béthune et son initiateur (1171-1189).

IV. Jamais, quel que soit mon désir, je ne resterai avec ces tyrans qui se croisent par intérêt pour prélever la dîme sur les clercs, les bourgeois et les sergents. La croix qu'il porte ne saurait garantir un seul de ces croisés, car telle est la puissance de Dieu que sa vengeance ne tarde guère.

V. Il s'en est déjà bien vengé des hauts barons qui lui manquèrent. Car il les a rendus plus vils que jamais on ne les vit. Malheur aux barons qui ressemblent aux oiseaux qui souillent leur nid! Il est peu de gens qui ne les aient maudits, pour autant qu'ils exercent leur pouvoir sur leurs hommes.

VI. Qui sert sans profit ces indignes barons les servira longtemps sans exciter leur pitié. C'est pourquoi je dis qu'il vaut mieux servir Dieu, car son service ne comporte ni risque ni hasard. Qui bien le sert obtient sa récompense. Plût à Dieu qu'Amour en fît autant à l'égard de tous ceux qui s'y fient.

ENVOI : Et maintenant que j'ai dit leur fait aux barons, si mes paroles leur déplaisent, qu'ils s'en prennent à mon maître d'Oisi, lui qui m'apprit à chanter dès l'enfance.

───────── **QUESTIONS** ─────────

— Quels sont les deux thèmes qu'on retrouve dans cette chanson? Quel est celui de ces deux thèmes qui est dominant? La satire ne l'emporte-t-elle pas sur le lyrisme?

II. CHANSON DE CROISADE

I. Ahi! Amours, con dure departie
   Me convendra faire de la meillour
   Qui onques fust amee ne servie!
   Dex me ramaint a li par sa douçour
5 Si voirement que m'en part a dolour!
   Las! Qu'ai-je dit? Ja ne m'en part je mie
   Se li cors vait servir Nostre Seignour,
   Li cuers remaint du tout en sa baillie,

II. Por li m'en vois souspirant en Surie,
10 Quar nus ne doit faillir son Creatour,
    Qui li faudra a cest besoig d'aïe,
    Sachiez que il li faudra a greignour;
    Et sachiez bien, li grant et li menour,
    Que la doit on faire chevalerie,
15 Qu'on i conquiert paradis et honor
    Et pris et los et l'amour de sa mie.

III. Dex! tant avom esté preu par huiseuse!
    Or i parra qui a certes iert preus,
    S'irom vengier la honte dolereuse
20 Dont chascuns doit estre iriez et honteus,
    Car a no tanz est perduz li sains lieus
    U Dieus soufri pour nous mort angoisseuse;
    S'or i laissom nos anemis morteus,
    A touz jours mais iert no vie honteuse.

II. CHANSON DE CROISADE

Traduction :

I. Hélas! Amour, quelle dure séparation sera celle d'avec la meilleure qui jamais ait été aimée ni servie! Que Dieu me ramène vers elle en sa douceur, aussi vrai que je me sépare d'elle avec douleur! Hélas! Qu'ai-je dit? Je ne me sépare pas d'elle. Si le corps va servir Notre-Seigneur, le cœur demeure du tout en son servage.

II. Soupirant pour elle, je m'en vais en Syrie, car nul ne doit manquer à son Créateur. Qui lui faillira en ce besoin d'aide, sachez qu'il lui faillira en plus grand besoin d'aide; et sachez bien, grands et petits, que c'est là qu'on doit faire chevalerie, car on y conquiert paradis et honneur, et valeur, et louange, et l'amour de sa dame.

III. Dieu! Combien longtemps nous avons été preux dans l'oisiveté! Maintenant apparaîtra qui vraiment sera preux, et nous irons venger l'outrage douloureux dont chacun doit être irrité et honteux, car, à notre époque, a été perdu le saint lieu où Dieu souffrit pour nous une mort pleine d'angoisse; si, maintenant, nous y laissons nos ennemis mortels, notre vie en sera honteuse à jamais.

25   IV. Qui ci ne veut avoir vie anuieuse,
           Si voist pour Dieu morir liez et joieus,
           Que cele mors est douce et savereuse
           Dont on conquiert le regne precieus :
           Ne ja de mort nen i morra uns seus,
30   Ainz naistront tuit en vie glorieuse;
           Qui revendra mout sera eüreus :
           A touz jours maiz en iert Honors s'espeuse.

        V. Touz li clergiez et li home d'aage
           Qui en aumosne et en bienfaiz manront
35   Partiront tuit a cest pelerinage,
           Et les dames qui chastement vivront,
           Se loiauté font a ceus qui i vont,
           Et s'eles font par mal conseil folage,
40   A lasches genz et mauvais le feront,
           Quar tuit li bon iront en cest voiage.

        VI. Dieus est assis en son saint heritage;
           Or i parra con cil le secourront
           Cui il jeta de la prison ombrage,
           Quant il fu mors en la crois que Turc ont.
45   Sachiez cil sunt trop honi qui n'iront,
           S'il n'ont poverte u vieillece u malage;
           Et cil qui sain et joene et riche sont
           Ne pueent pas demorer sanz hontage.

     ENVOI : Las! je m'en vois plorant des ieus du front
50   La u Dieus vuet amender mon corage;
           Et sachiez bien qu'a la meillour du mont
           Penserai plus que ne di au voiage.

IV. Qui ne veut avoir ici une existence humiliée, qu'il aille pour Dieu mourir joyeux et allègre, car elle est douce et savoureuse, la mort par quoi on conquiert le royaume précieux; et pas un seul ne mourra de mort, mais tous naîtront à une vie glorieuse; qui reviendra aussi sera très heureux : à jamais Honneur sera son épouse.

V. Tous les clercs et les hommes d'âge qui persévéreront en aumône et en charité participeront tous à ce pèlerinage, et aussi les dames qui vivront chastement, si elles gardent fidélité à ceux qui vont là-bas; si par mauvaise inspiration elles font folie, c'est avec des êtres lâches et pervers qu'elles le feront, car tous les hommes de bien iront à ce voyage.

VI. Dieu est assiégé en son saint héritage. Voici l'heure où il apparaîtra comment le secourront ceux qu'il a arrachés à la ténébreuse prison, quand il mourut sur la croix que les Turcs ont. Sachez que maudits sont tous ceux qui ne partiront pas, à moins de pauvreté, de vieillesse ou de maladie; et ceux qui sont sains, jeunes et riches ne peuvent pas demeurer sans honte.

ENVOI : Hélas! je m'en vais, pleurant des yeux de mon front, là où Dieu veut purifier mon cœur; et sachez bien qu'à la meilleure femme du monde je penserai plus que je ne dis en ce voyage.

QUESTIONS

— Si vous vous rappelez le rôle que Conon de Béthune a joué lui-même au cours de la croisade, quelle pouvait être l'influence de l'appel qu'il lançait à ses contemporains ?

— D'après les deux poèmes précédents, quelles sont les critiques qu'on adressait dès cette époque aux seigneurs qui refusaient d'aller à la croisade ou à ceux qui en prenaient prétexte pour commettre des exactions ?

III. CHANSON COURTOISE

I. Il avint ja en un autre païs
   Qu'uns chevaliers ot une dame amee;
   Tant come fu la dame en son bon pris,
   Li a s'amor escondite et véee,
5   Tant qu'à un jor ele li dist : « Amis,
   Menés vos ai par paroles mains dis;
   Or est l'amors conéue et provee,
   Desormés sui tout a vostre devis. »

II. Li chevaliers l'esgarda ens el vis,
10   Si la vit mout pale et descoloree,
   « Dame, fait-il, certes sui mal baillis,
   Quant des l'autre an n'eustes ceste pensee;
   Vostre biaus vis, que samblait flor de lis
   M'est si tornés dou tout le mal en pis,
15   Qu'il m'est avis que me soiès emblee :
   A tart aves, dame, cest consoil pris. »

III. Quant la dame s'oï si ramponer,
   Vergoigne en ot, si dist par sa folie :
   « Par Dieu, vassaus, on vous doit bien amer!
20   Cuidiez vos dont qu'a certes le vos die?
   Nenil, par Dieu, ne me vint en penser;
   Onques nul jor ne vos daignasse amer [...]. »

III. CHANSON COURTOISE

Traduction :

I. Il arriva jadis en un autre pays qu'un chevalier s'éprit d'une dame; tant que la dame fut dans toute sa beauté, elle écarta, refusa son amour. Jusqu'au jour où elle lui dit : « Ami, je vous ai mené par mes paroles de femme; maintenant votre amour est connu, prouvé; désormais je suis toute à vous. »

II. Le chevalier la regarda dans les yeux, alors il la vit très pâle et fanée : « Dame, fait-il, certes je suis malchanceux, puisque l'autre année vous n'eûtes cette pensée. Votre beau visage, qui semblait fleur de lis, m'apparaît tellement ravagé qu'il me semble que vous m'avez été enlevée : c'est bien tard, dame, que vous avez pris cette décision. »

III. Quand la dame s'entendit ainsi railler, elle en eut honte, et elle dit, irréfléchie : « Par Dieu, vassal, on vous doit bien aimer! Croyez-vous vraiment à la sincérité de mes paroles? Jamais, par Dieu, il ne me vint en pensée, en aucune façon, de consentir à vous aimer [...]. »

IV. « Par Dieu, ma Dame, j'ai bien oï parler
De vo biauté, mais ce n'est ore mie;
25 Et de Troies rai je oï conter
Qu'ele fu ja de très grant seignorie :
Or n'i puet on fors la place trover.
Par ce vos lo, dame, a escuser
Que cil soient reté de tricherie
30 Qui desormès ne vos vorront amer. »

V. « Par Dieu, vassaus, mar vos vint en pensé,
Que vos m'avez reprové mon aage;
Si je avoie tout mon jovent usé,
Si sui je riche et de mout haut parage,
35 On m'ameroit a petit de biauté;
Certes encore m'a pas un mois passé
Que li marchis m'envoia son message
Et li Barrois a por m'amor josté. »

VI. « Par Dieu, Dame, ce vos a bien gravé
40 Que vos gardès tout jors en signorage;
On n'aime pas dame por parenté,
Ains l'aime l'on quant ele est bele et sage;
Vos en sarés par tens la vérité :
Car tel cent ont por vostre amor josté
45 Qui s'or estié fille au roi de Carthage
N'en averraient jamais la volenté. »

IV. — Dame, par Dieu, j'ai bien ouï parler de votre beauté, mais c'est maintenant le passé; de Troie aussi j'ai ouï dire qu'elle fut jadis de très grande splendeur : maintenant, d'elle, on ne peut voir que l'emplacement. Pour ce, je vous demande, dame, de vous abstenir de taxer de tricherie ceux qui désormais ne vous voudront aimer.

V. — Par Dieu, vassal, c'est malheur qu'il vous est venu en pensée de me reprocher mon âge; si j'avais toute ma jeunesse épuisé, je n'en suis pas moins riche et de très haut parage; on m'aimerait avec peu de beauté; certes, il n'y a pas un mois le marquis m'envoya son message, et le Barrois a par amour de moi jouté.

VI. — Dame, par Dieu, c'est bien chagrin pour vous de considérer toujours le lignage, une dame est aimée non pour sa parenté, mais bien plutôt quand elle est belle et sage; vous en saurez un jour la vérité : car y en aurait-il cent pour jouter pour votre amour, seriez-vous la fille du roi de Carthage, ils n'en auraient plus la volonté. »

─────── **QUESTIONS** ───────────────

— Comment est composée cette chanson? N'y a-t-il pas dans la forme dialoguée la reprise d'un procédé commun dans les pastourelles? (Cf. tome I, p. 56 et suivantes.)

— Étudiez le rôle que joue dans ce poème chacun des deux personnages. La dame n'a-t-elle pas déjà certains traits de la vieille coquette de comédie? Étudiez l'ironie dans les paroles du chevalier.

— Connaissez-vous, dans des pièces de théâtre plus modernes (comédies de Molière, par exemple), des scènes qui vous rappellent cette situation?

— Comment ce poème, malgré ses critiques contre la coquetterie féminine, aboutit-il cependant à un éloge de l'amour courtois?

·v·ne·vi·quant le serient la mal parliere gent· que vaut amours dont est noise ne cris.

rop me puis de chanter tarre· se biens

men deust venir· de cele dont li mal

tranre me font la coulour palir· et la

rienz dont pluz mair· si est quen so

RECUEIL DE CHANSONS EN LANGUE D'OC (XIIIᵉ s.)
Lettre ornée.
Bibliothèque nationale.

De cele me plaig qui me fait languir en v ne maniere. et dirai comment. quar ainc ne la sui nul iour tant seruir. quen peusse auoir son guerredoune ment. si ai endure bien et loiau ment. nonques ca ne la ne wout mes cueif guenchir. si men a me ne re cuit pluz malement. nencore

CHANSON NOTÉE FIGURANT AU RECUEIL CITÉ À LA PAGE PRÉCÉDENTE

GAUTIER D'ÉPINAL

CHANSON COURTOISE

I. Quant voi fenir yver et la froidor
Et le dolz tans venir et repairier,
Que li oisel chantent cler sor la flor
Et l'erbe vert s'espart soz le ramier,
5   Chanter m'estuet, molt en ai grand mestier,
Por ma dame faire oïr ma dolor,
Savoir, se ja me voldroit alegier.
Chascuns se vante d'amer lealment,
Mais poi en voi, qui soient en torment.

10   II. Je me cuidai gaber el comencier,
Mes or voi bien, que ne m'i valt neant
Que toz les mals ne m'estuece essaier
De ceste amor qui a amer m'aprent.
Molt me sot bien engignier dolcement,
15   Qui de mon cors me vint mon cuer oster;
En fin sui mors, se pitiéz ne l'en prent.
Chascuns se vante d'amer lealment,
Mais poi en voi, qui soient en torment.

III. Amors me fait tot le païs amer
20   Et trestoz cels qui la vienent et vont
Ou ele maint, la bien faite au vis cler,
Que je aim plus que nule rien el mont.
Et sachiez bien, totes celes qui sont
Ne m'apreïssent si tres bien a amer,
25   Com fist mes cuers et li oil de son front.
Chascuns se vante d'amer lealment,
Mais poi en voi, qui soient en torment.

GAUTIER D'ÉPINAL

CHANSON COURTOISE

Trouvère du début du XIIIᵉ siècle, Gautier d'Espinau (Épinal) a composé quantité de chansons courtoises, dont vingt-cinq sont parvenues jusqu'à nous.

Traduction :

I. Quand je vois finir l'hiver et la froidure et la douce saison venir et nous rejoindre, que les oiseaux chantent gaiement sur les fleurs et que l'herbe verte s'étend sous la ramée, il me faut chanter, j'en ai grand besoin, pour à ma dame faire ouïr ma douleur, et savoir si jamais elle me voudrait soulager. Chacun se vante d'aimer loyalement, mais j'en vois peu qui soient en tourment.

II. Je crus me vanter au début, mais maintenant je vois bien que c'est inutile et que je ne puis faire en sorte que je ne doive pas essayer de tous les malheurs à propos de cet amour qui m'apprend à aimer. Elle me sut bien tromper doucement, celle qui me vint enlever mon cœur de ma personne; à la fin je suis mort, si pitié ne l'en prend. Chacun se vante d'aimer loyalement, mais j'en vois peu qui soient en tourment.

III. L'Amour me fait tout le pays aimer, et tous ceux qui viennent et vont là où elle demeure, la femme bien faite au gai visage, que j'aime plus qu'aucune chose au monde; et sachez bien qu'aucune de celles qui existent ne saurait autant m'apprendre à aimer que le fit mon cœur et les yeux de son front. Chacun se vante d'aimer loyalement, mais j'en vois peu qui soient en tourment.

───── **QUESTIONS** ─────

— Quel est le cadre de cette chanson? Qu'est-ce qui révèle un poète sensible aux charmes de la nature?

— A chaque strophe correspond un développement distinct : montrez-le. Quel est le rôle du refrain dans cette chanson?

— Ce que dit Gautier d'Épinal permet-il d'individualiser sa « dame »?

GUIOT DE PROVINS

I. CHANSON COURTOISE

1. Molt avrai lonc tans demoré
   Fors de ma douce contree
   Et maint grant enui enduré
   En terre maleüree.
5. Por ceu n'ai je pas oblïé
   Le douz mal qui si m'agree,
   Don ja ne quier avoir santé,
   Tant ai la dolor amee.

II. Lonc tens ai en dolor esté
10. Et mainte larme ploree;
    Li plus bels jors qui est d'esté
    Me semble nois[1] et jalee[2],
    Quant el païs que je plus hé
    M'estuet faire demoree.
15. N'avrai mais joie en mon aé[3],
    S'en France ne m'est donee.

III. Si me doint Deus joie et santé!
    La plus bele qui soit nee
    Me conforte de sa biauté;
20. S'amors m'est el cuer entree[4].
    Et se je muir[5] en cest pansé,
    Bien cuit m'erme[6] avoir salvee,
    Car m'eüst or son leu presté,
    Dex! cil qui l'a esposee.

---

1. *Nois* (de *nivem*) : neige; **2.** *Jalee* : forme champenoise pour *jelee*, gelée; **3.** *Aé* (de *aetatem*) : âge, vie. *Age*, du dérivé populaire *aetaticum*, est encore employé au XVIᵉ siècle au sens de « vie ». Cf. Du Bellay : *le reste de son âge*; **4.** Les poètes courtois considéraient que l'amour entre au cœur par l'œil; **5.** *Muir* : première personne, indicatif présent de *morir*; **6.** *Erme* : forme dialectale pour *arme*, de *anima*, par dissimilation.

GUIOT DE PROVINS

Guiot de Provins, moine et jongleur, connu surtout par sa célèbre *Bible*, où il décrit l'état des mœurs et fait la critique de la société au début du XIIIᵉ siècle, nous a laissé aussi quelques chansons d'inspiration nettement profane. Ce singulier personnage, avant d'entrer dans les ordres, avait mené la vie des trouvères errants. On sait qu'il voyagea non seulement en France mais en Allemagne et en Palestine. C'est sans doute pendant cette période qu'il composa des chansons destinées à compléter son répertoire. Bien qu'elles soient loin d'être indifférentes et qu'elles contiennent parfois des allusions à la vie du poète et à ses protecteurs, elles ne sauraient rivaliser avec la *Bible*. Contraint d'obéir aux règles du genre, Guiot développe avec agrément les thèmes consacrés de la poésie courtoise. Sur la biographie de Guiot de Provins, on lira avec profit le chapitre qui lui est consacré dans *la Littérature morale au Moyen Age* (« Classiques Larousse », page 37 et suivantes).

I. CHANSON COURTOISE

Traduction :

I. Je serai longtemps resté loin de ma douce contrée et j'aurai éprouvé plus d'un tourment en ce maudit pays. Pourtant, je n'ai pas oublié le doux mal qui me ravit et dont je ne veux pas guérir, tant j'en aime la douleur.

II. J'ai longtemps souffert et versé plus d'une larme. Le plus beau jour de l'été me semble neige et gelée, puisqu'il me faut demeurer au pays que je hais le plus. Je n'aurai plus jamais de joie dans ma vie, si je ne la goûte en France.

III. Que Dieu me donne joie et santé! La plus belle qui soit au monde m'accorde l'agrément de sa beauté. Son amour m'est entré au cœur et, si je meurs en cette pensée, j'espère bien sauver mon âme. Dieu! si seulement son époux voulait me céder sa place.

25　　　　　IV. Douce dame, ne m'oblïez,
　　　　　　　　Ne soiez cruëls ne fiere
　　　　　　　Vers moi qui plus vos aim k'asez
　　　　　　　　De bone amor droituriere.
　　　　　　　Et se vos ensi m'ocïez,
30　　　　　　　　Las! trop l'acheterai chiere
　　　　　　　L'amor dont si me sui grevez;
　　　　　　　　Mais or m'est bone et entiere.

　　　　　　　V. Hé, las! con sui deseürez
　　　　　　　　Se cele n'ot ma proïiere
35　　　　　　　A cui je me sui si donez
　　　　　　　　Que ne m'en puis traire arriere.
　　　　　　　Trop longuement me sui celez,
　　　　　　　　Ceu font la genz malparliere,
　　　　　　　Don ja nus ne sera lassez
40　　　　　　　　De dire mal par darriere.

II. CHANSON COURTOISE

　　　　　I. Molt me mervoil de ma dame et de moi,
　　　　　　Qu'ensi me tient quant plus suis lonz de li,
　　　　　　Bien cuit garir l'oure que je la voi,
　　　　　　Mais lors double li mals dont je m'oci.
5　　　　　Si m'aït Dex, trop fiere chose a ci
　　　　　　Kant je morrai por tant que je la vi;
　　　　　　Mai je me fi tant en ma bone foi
　　　　　　Et en iceu c'onques ne li menti.

　　　　　II. Mainz en i a qui demandent por coi
10　　　　　J'aim cele rien qui n'a de moi merci;
　　　　　　Il sont vilain et de malvaise loi;
　　　　　　Car je n'ai pas, dame, encore desservi
　　　　　　Lo dolz regart dont vos m'avez saisi
　　　　　　Et lo panser dont mes cuers s'esjoï;
15　　　　　Et cil qui dit que je de ceu foloi
　　　　　　Ne me conoist pas a leial ami.

iv. Douce dame, ne m'oubliez pas. Ne soyez ni cruelle ni farouche envers moi qui vous aime ardemment d'amour loyal et sincère. Mais si vous me faites périr, je l'aurai payé trop cher l'amour, dont je suis affligé. Du moins demeure-t-il entier pour l'instant.

v. Hélas! quel est mon désarroi, si elle n'entend pas ma prière, celle à qui je me suis donné sans pouvoir me dégager. Je me suis tu trop longtemps par crainte des médisants parmi lesquels nul ne se lassera de dire du mal par-derrière.

―――――― QUESTIONS ――――――――――――――――

— Quels sont les différents thèmes traditionnels de l'amour courtois qui se trouvent ici accumulés ? Sont-ils habilement utilisés par le poète ?
— Cette chanson vous paraît-elle correspondre à un sentiment sincère ou n'être qu'un exercice de virtuosité ?

―――――――――――

II. CHANSON COURTOISE

Traduction :

i. Pour ce qui est de ma dame et de moi, il est étrange qu'elle me soit plus proche, alors que je suis plus loin d'elle; je crois guérir aussitôt que je la vois, mais le mal dont je meurs redouble à ce moment. Que Dieu m'aide! mais c'est une chose singulière, si je meurs pour l'avoir vue. Je me fie du moins en ma loyauté et en ma franchise à son égard.

ii. Il y en a qui se demandent pourquoi j'aime cet être qui n'a aucune pitié de moi. Ce sont des rustres et des profanes; car je n'ai pas, ma dame, encore mérité le doux regard dont vous m'avez saisi et la pensée qui réjouit mon cœur : celui qui prétend que ma conduite est folle ne connaît pas la profondeur de mon amour sincère.

III. Leals amis sui je sanz foloiier,
    Del tot amors m'a si en sa prison,
    Son cors me fait amer et tenir chier
20   Et bel parler et entendre raison
    Cele de cui j'atent la guerredon[1],
    K'en moi ne truis[2] ne ire ne tençon.
    Mon boen espoir ne voldroie changier
    A gent qui soit nen a nul altre don.

25   IV. Cil jangleor[3] nos font grant destorbier
    Qui se vantent d'amer par traïson ;
    As amanz font lor joie delaiier
    Et as dames sont cruiel et felon.
    Ja Damedex ne lor face perdon !
30   Bien m'ocient senz arme et senz baston,
    Quant je les voi ensemble conseillier ;
    Mais ma dame n'i panse se bien non.

    V. Chançons, va t'en tot droit a Masconois[4]
    A mon seignor lo conte ; je li mant :
35   Si con il est frans et prouz et cortois,
    Qu'il gart son pris et si lo traie avant.
    Mais nule rien lo conte ne demant,
    Fors por s'amor et por ma dame chant
    Qui m'a proiet de chanter en cest mois ;
40   Mais ma joie me va molt deleant.

---

1. *Guerredon* (origine germanique) : récompense; 2. *Truis* : première personne du singulier de l'indicatif présent de *trover*, due sans doute à l'analogie. Cf. *puis* de *pouvoir* ; 3. *Jangleor* : cas sujet pluriel de *janglerres*, dérivé de *jangler* (origine inconnue), médire, bavarder ; 4. *Masconois* : ce comte de Mâcon ne pourrait être que Girard de Vienne (1155-1184) ou Girard II de Vienne (1184-1226).

III. Mon amour est sincère et ce n'est pas folie, il me tient tout en sa prison. Elle m'oblige à aimer et à chérir sa personne, à bien parler et à entendre raison, celle dont j'attends la récompense, si bien que je ne trouve en moi ni irritation ni colère. Je ne voudrais changer mon bel espoir à personne contre quelque don que ce soit.

IV. Les beaux parleurs nous causent bien de l'embarras, quand ils se vantent d'aimer par trahison ; ils retardent le bonheur des amants et sont cruels et félons pour les dames. Que Dieu jamais ne leur pardonne ! Ils me tuent sans arme et sans bâton, quand je les vois comploter ensemble, mais ma dame n'en pense que du bien.

V. Chanson, va-t'en tout droit en Mâconnais auprès de monseigneur le comte et porte-lui ce message : puisqu'il est noble, preux et courtois, qu'il garde son mérite et l'augmente encore ; je ne lui demande rien que de chanter pour lui et pour ma dame qui m'a prié de chanter ce mois-ci : mais mon bonheur se fait longtemps attendre.

——— **QUESTIONS** ———

— Analysez le sentiment de l'amour dans ce poème. Comment s'harmonisent le thème de l'amour lointain et celui de l'amour malheureux ? Dans quelle mesure Guiot de Provins approfondit-il ici la psychologie de l'amour courtois ?

— Que nous apprend la dernière strophe sur les conditions dans lesquelles a été composée cette chanson ?

RICHARD DE FOURNIVAL

CHANSON

I.   Tels s'entremet de garder
Qui ne set qu'il i convient
Ne qu'a garder apartient,
Ne nule raison n'esguarde
5   Cil qui estroitement guarde
Ce c'on ne puet enserrer.

II.   Qui veut feme emprisonner,
Savez vous qu'il en avient?
Le cuer pert et le cors tient.
10   Mais, combien que il atarde,
Toz jours est cuers de cors guarde,
Ou qu'il veut le puet mener.

III.   Cuers de feme puet voler
Quant il veut, si vait et vient;
15   Nule clés ne le detient.
Cuers est montés en l'anguarde[1],
D'iluec porvoit et esguarde
Par ou cors puist eschaper.

IV.   Cil a a boire la mer
20   Qui tel riote[2] maintient.
Feme prise pou et crient
Chastoi de gent papelarde[3],
C'ainc nen vi nule coarde
Et qui n'osast tout oser.

25   V.   Qui la chastoie d'amer
Plus amoureuse en devient;
De tel chose li sovient
Dont el ne se donoit guarde,
Por c'est la vielle musarde
30   Qui l'enfant i fait penser.

---

1. *Anguarde* : primitivement, action d'observer en avant d'une troupe, puis soldat envoyé en éclaireur, sentinelle avancée, et, enfin, poste d'observation sur un lieu élevé; 2. *Riote* : querelle; 3. *Papelarde* : du verbe *paper*, manger gloutonnement, et du nom *lard*. Se disait du faux dévot qui mange le lard en cachette.

RICHARD DE FOURNIVAL

Richard de Fournival, poète et prosateur, naquit vers l'an 1200 en Picardie. Chanoine, puis chancelier de l'église d'Amiens, il mourut avant 1260. Très cultivé, il occupa ses loisirs à composer des œuvres profanes ; nous avons conservé de lui quelques traités d'amour courtois, dont le plus célèbre est le *Bestiaire d'amour*, et une vingtaine de poésies lyriques. La plupart de ses œuvres ont été publiées. Poète ingénieux et subtil, il traite avec une certaine originalité les thèmes traditionnels de l'amour courtois. La chanson suivante comporte cinq strophes de six vers de sept syllabes sans envoi ; mêmes rimes pour toute la pièce.

CHANSON

Traduction :

I. Tel se fait gardien qui ne sait s'y prendre ni en quoi cela consiste. Il ne tient compte d'aucun argument celui qui garde étroitement ce qu'on ne peut enfermer.

II. Si on veut emprisonner une femme, savez-vous ce qui arrive ? On perd le cœur et on garde le corps. Mais quoi qu'on fasse pour le retarder, c'est le cœur qui garde le corps et le mène où bon lui semble.

III. Un cœur de femme peut s'envoler quand il veut, aller et venir. Il n'est pas de clef pour le retenir. Le cœur est monté à l'observatoire, et de là il regarde au loin par où le corps peut s'échapper.

IV. C'est la mer à boire que de lutter contre lui. La femme apprécie peu et ne redoute guère les reproches des hypocrites. Jamais je n'en vis, si timide fût-elle, qui n'osât tout oser.

V. Si on lui reproche d'aimer, elle en devient plus amoureuse. Tel souvenir lui revient, auquel elle n'avait pris garde. C'est pourquoi la vieille est une sotte qui y fait penser l'enfant.

─────── QUESTIONS ───────────────────────────

— En quoi le ton de cette chanson est-il très différent de celui des précédentes ? Montrez que Richard de Fournival se présente ici comme un poète moraliste.

— Les maximes de Richard de Fournival sont-elles conformes au code de l'amour courtois ?

COLIN MUSET

I. [BON FEU, BONS MORCEAUX, VINS FRAIS]

Jakes d'Amiens, et j'errant m'en retor
As chapons en jance aillie
Et as gastiaus ki sont blanc come flor
Et au tres bon vin sor lie.
5   As bons morcels ai donée m'amor
Et as grans feus parmi ceste froidor :
Faites ensi, si menrés bone vie.

Ma bele douce amie,
La rose est espanie :
10   Desouz l'ente florie
La vostre compaignie
M'i fet mult grant aïe.
Vos serez bien servie
De crasse oe rostie
15   Et bevrons vin sus lie,
Si merrons bone vie.

... porc et buef et mouton,
Maslarz, faisans et venaison,
Grasses gelines et chapons
20   Et bons fromages en glaon.

II. [LE BONHEUR DE COLIN MUSET]

1. En mai, quant li rossignolet
Chantent cler ou vert boissonet,
Lors m'estuet faire un flajolet,
Si le ferai d'un saucelet,
5   Qu'il m'estuet d'amors flajoler
Et chapelet de flor porter
Por moi deduire et deporter,
Qu'adés ne doit on pas muser.

COLIN MUSET

Au début du XIIIe siècle, Colin Muset, d'origine lorraine, dut mener la vie des ménestrels, ces poètes musiciens qui égayaient les soirées d'hiver dans les châteaux en chantant leurs strophes, avec accompagnement de vielle. Il avait la charge d'une nombreuse famille, et ses ressources étaient maigres. Pourtant, il professait des goûts de sybarite. En même temps, il se console et il console autrui des peines d'amour. Il lui arrive aussi de chanter et surtout de parodier l'amour courtois.

I. BON FEU, BONS MORCEAUX, VINS FRAIS

Traduction :

Jacques d'Amiens, aussitôt je m'en retourne aux chapons à la sauce à l'ail, et aux galettes qui sont blanches comme fleur, et au très bon vin qui les arrose. C'est aux bons morceaux que j'ai donné mon amour et aux grands feux par ce froid : faites ainsi, et menez bonne vie!

Ma belle douce amie, la rose est épanouie : sous les rameaux fleuris, votre compagnie serait pour moi un bien grand réconfort. Vous serez bien régalée de grasse oie rôtie, nous boirons du vin pour l'arroser, et ainsi mènerons bonne vie.

... porc, bœuf, mouton, canards sauvages, faisans, venaison, grasses poules et chapons, et bons fromages sur des paniers d'osier.

II. LE BONHEUR DE COLIN MUSET

Traduction :

1. En mai, quand le chant clair des rossignols s'élève dans le vert buisson, il me faut faire un flageolet; je le ferai d'une branche de saule, car je dois y chanter l'amour et porter un chapel de fleurs[1] pour me distraire et m'amuser : on ne peut pas toujours muser[2].

---

1. *Chapelet de flor* : sorte de couronne, de petit chapeau de feuillage; **2.** *Muser* : rester le museau en l'air, perdre son temps, d'où *muse*, instrument de musique, et son dérivé *musette*. Colin Muset joue volontiers avec son nom et les mots de la famille de *muser*.

II. L'autrier en mai, un matinet,
10 M'esveillerent li oiselet,
S'alai cuillir un saucelet,
Si en ai fait un flajolet;
Mais nuns hons n'en peut flajoler
S'il ne fait par tout a loer
15 En bel despendre et en amer
Tot sanz faintise et sanz guiler.

III. Garnier[1], cui je vi joliet,
Celui donrai mon chapelet.
De bel despendre s'entremet,
20 En lui nen a point de regret,
Et por ce li vuil je doner
Qu'il aimme bruit et hutiner
Et aimme de cuer sanz fauser;
Ensi le covient il ovrer.

25 IV. La damoiselle au chief blondet
Me tient tot gai et cointelet;
En tel joie le cuer me met
Qu'il ne me sovient de mon det;
Honiz soit qui por endeter
30 Laira bone vie a mener!
Adés les voit on eschaper,
A quel chief qu'il doie torner.

V. L'en m'apele Colin Muset,
S'ai mangié maint bon chaponet,
35 Mainte haste[2], maint gastelet
En vergier et en praelet,
Et quant je puis l'oste trover
Qui veut acroire et bien prester,
Adonc me preng a sejorner
40 Selon la blondete au vis cler.

ENVOI : N'ai cure de roncin[3] lasser
Apres mauvais seignor troter :
S'il heent bien mon demander,
Et je, cent tanz, lor refuser.

II. Par un beau matin de mai, les petits oiseaux m'éveillèrent; j'allai cueillir un brin de saule et j'en fis un flageolet. Mais nul n'en saurait user s'il ne se rend digne d'éloges par sa générosité et son amour loyal et franc.

III. C'est à Garnier[1], dont j'apprécie la gentillesse, que je donnerai mon chapel. Il a souci de dépenser et n'en témoigne aucun regret. Si je veux le lui donner, c'est parce qu'il aime le bruit et la gaieté! Son cœur aime sans tromperie; c'est ainsi qu'il convient d'agir.

IV. La jeune fille aux blonds cheveux me donne l'agrément et la joie. Elle me met au cœur tant d'allégresse que j'en oublie ma dette. Honni soit qui, par crainte de s'endetter, renonce à mener joyeuse vie. On les voit toujours s'en tirer en dépit des conséquences.

V. On m'appelle Colin Muset; j'ai mangé plus d'un bon chapon, filets de viande[2] et gâteaux dans les vergers et les jardins. Et quand je puis trouver un hôte qui veuille me prêter ou me faire crédit, je prolonge mon séjour près de la blonde au clair visage.

ENVOI : Peu me chaut de fatiguer mon cheval[3] à courir après un mauvais seigneur. S'ils ont horreur de mes demandes, je hais cent fois plus leurs refus.

———— QUESTIONS ————

— Quel contraste font les deux poèmes précédents avec ceux que vous avez lus jusqu'ici?
— Dans la deuxième chanson, les thèmes s'enchaînent-ils logiquement? Comparez ce poème à la fatrasie du tome I, p. 112. A quoi tient cependant l'unité de ce poème, malgré la diversité des thèmes?

1. *Garnier* : ami du poète; 2. *Haste* : de *hasta*, lance, broche de bois pour faire rôtir la viande, d'où la viande elle-même; 3. *Roncin* : aujourd'hui *roussin*, par croisement avec *roux*, désignant le cheval de bât.

III. [LES PROFITS ET LES DÉBOIRES DU MÉTIER DE TROUVÈRE]

    I. Sire cuens, j'ai vïelé
    Devant vous en vostre ostel,
    Si ne m'avez riens doné
    Ne mes gages aquité :
5   C'est vilanie !
    Foi que doi sainte Marie,
    Ensi ne vous sieurré[1] mie.
    M'aumosniere est mal garnie
    Et ma bourse mal farsie[2].

10   II. Sire cuens, car commandez
    De moi vostre volenté.
    Sire, s'il vous vient a gré,
    Un biau don car me donez
        Par courtoisie !
15   Talent ai, n'en doutez mie,
    De raler a ma mesnie :
    Quant g'i vois boursse esgarnie,
    Ma fame ne me rit mie,

    III. Ainz me dit : « Sire Engelé[3],
20   En quel terre avez esté,
    Qui n'avez riens conquesté ?
    Trop vos estes deporté
        Aval la ville.
    Vez com vostre male plie !
25   Ele est bien de vent farsie !
    Honiz soit qui a envie
    D'estre en vostre compaignie ! »

---

1. *Sieurré* : futur du verbe *suivre*; **2.** *Farsie* : de *farcire*, remplir, bourrer; **3.** *Engelé* : terme de mépris, engourdi, gelé. J. Bédier le rapproche de l'expression familière *empoté*, qui convient à la traduction.

III. LES PROFITS ET LES DÉBOIRES
DU MÉTIER DE TROUVÈRE

Quatre strophes de neuf vers de sept syllabes, sauf le cinquième, qui est de quatre syllabes; chacune de ces strophes est sur deux rimes, la rime étant parfois réduite à l'assonance. La cinquième strophe est de douze vers de sept syllabes, sauf le septième, qui est de cinq, en deux groupes de six vers monorimes.

Traduction :

I. Seigneur comte, j'ai joué de la viole devant vous, en votre demeure, et vous ne m'avez rien donné, vous n'avez pas payé mes gages. C'est une honte. Par la foi que je dois à sainte Marie, je ne vous suivrai plus. Mon aumônière est mal garnie et ma bourse est dégonflée.

II. Seigneur comte, vous exigez de moi que j'exauce votre désir. Qu'il vous plaise donc, seigneur, d'être généreux, par courtoisie! J'ai l'intention, n'en doutez pas, de retourner auprès des miens : mais quand j'arrive la bourse vide, ma femme ne me sourit guère.

III. Mais elle me dit : « Maître empoté, dans quel pays avez-vous été pour n'en avoir rien rapporté? Vous êtes allé vous amuser à travers la ville. Voyez comme votre valise plie; elle est toute farcie de vent. Honni soit qui désire vivre en votre compagnie! »

iv. Quant je vieng a mon ostel
Et ma fame a regardé
30   Derrier moi le sac enflé,
Et je qui sui bien paré
     De robe grise,
Sachiez qu'ele a tost juz mise
La conoille sanz faintise;
35   Ele me rit par franchise,
Ses deus braz au col me plie.

v. Ma fame va destrousser
Ma male sanz demorer;
Mon garçon va abuvrer
40   Mon cheval et conreer;
Ma pucele va tuer
Deus chapons pour deporter
     A la jansse aillie :
Ma fille m'aporte un pigne
45   En sa main par cortoisie.
Lors sui de mon ostel sire
A mult grant joie sanz ire
Plus que nuls ne porroit dire.

IV. CHANSON COURTOISE

Qui bien vuet d'amors joïr,
     Si doit soffrir
     Et endurer
Quank' ele li vuet merir;
5   Au repentir
     Ne doit panser,
C'om puet bien, tot a loisir,
     Son boen desir
     A point mener.
10   Endroit de moi criem morir
     Mieus que garir
     Par bien amer.

IV. Mais quand je rentre chez moi et que ma femme a aperçu derrière moi le sac gonflé et qu'elle me voit moi-même bien vêtu de robe fourrée [de petit-gris], sachez qu'elle a vite fait de poser là sa quenouille. Elle me sourit sans retenue et me jette les bras autour du cou.

V. Ma femme va détacher de la trousse ma valise sans perdre un instant. Mon garçon va abreuver et panser mon cheval, et pour me plaire ma servante va tuer deux chapons qu'elle cuira à la sauce à l'ail. Ma fille m'apporte un peigne de sa propre main, aimablement. Alors je suis le maître en ma maison, dans la joie et loin des querelles, plus que nul ne le pourrait dire.

──────── **QUESTIONS** ────────

— Quels renseignements nous donne cette chanson sur l'existence quotidienne d'un trouvère à cette époque ?

— Sur quoi sont fondés les effets comiques dans ce poème ? Le rôle du mari dominé par sa femme n'est-il pas traditionnel dans la littérature comique d'esprit bourgeois (fabliaux, farce et, plus tard, comédie) ?

──────

IV. *CHANSON COURTOISE*

Quoique souvent soucieux des réalités matérielles de la vie, Colin Muset a composé des chansons courtoises qui ne sont pas des parodies, et où, selon les lois du genre, il dit sa peine d'amour, glorifie les vertus de sa dame et s'efforce de trouver du plaisir dans sa souffrance.

Traduction :

Qui veut bien jouir de l'Amour doit souffrir et endurer autant qu'il lui veut accorder; au repentir il ne doit songer, car on peut bien, tout à loisir, son bon désir mener à point. Quant à moi, je crains de mourir plutôt que de guérir à force de bien aimer.

──────── **QUESTIONS** ────────

— L'amour courtois prend-il un ton très personnel, chez Colin Muset ?

V. REVERDIE

I.
    Qant li malos brut
    Sor la flor novele
    Et li solaus luist
    Qui tout resplandelle,
5   Lour mi plaist la damoizelle,
    Qui est jone et jante et belle,
    Et por li suis en grant joie.
    Aseis plus que ne soloie.
    Je suis siens et elle est moie.
10   Dehait ait qui ne l'otroie.
    Que por riens n'en partiroie!

II.
    Joie et grant desduit
    Ai por la donselle.
    G'i pans jor et nuit
15   Et s'amor m'apelle.
    Je l'oï an la praielle
    Chanter an la fontenelle
    Par desoz une codroie,
    Soule, an un bliaut de soie;
20   Chapial d'or ot et coroie.
    Deus! com elle s'esbanoie
    Et com elle se cointoie!

III.
    Ki ainmet valour
    Et met sa pansee
25   A leaul amor
    Et il l'ait trovee,
    Bien ait sa joie doblee :
    N'an doit partir por riens nee.
    Qui se met an avanture
30   D'amer, Amor l'aseüre
    De joie et d'anvoiseüre
    Et de bien et de mesure :
    Toute sa vie li dure.

V. REVERDIE

Comme tous ses contemporains, Colin Muset a cultivé la *pastourelle* (v. tome I, p. 56 et suivantes); mais le genre s'enrichit et évolue. La demoiselle, que le poète rencontre au printemps dans un jardin fleuri, n'est ni une « dame hautaine » ni une bergère. Sa beauté idéale et son riche vêtement font d'elle la princesse d'une gracieuse féerie. Cette variante de la pastourelle s'appelle *reverdie* ou « chanson de printemps ». Colin Muset donne au genre une note originale : son idéal épicurien, qui unit les plaisirs du vin à ceux de l'amour, reflète sans doute ses goûts personnels, mais harmonise aussi avec les thèmes de la poésie courtoise une tradition qui vient de la poésie antique.

Traduction :

I. Quand le frelon bourdonne sur la fleur nouvelle et que le soleil luit, qui tout entier resplendit, alors me plaît la demoiselle qui est jeune, gentille et belle, et pour elle je suis en grande joie, beaucoup plus que je n'en ai l'habitude. Je suis à elle et elle est à moi. Malheur à qui ne l'approuve, car pour rien je ne m'en séparerais !

II. Joie et grand plaisir j'ai pour la demoiselle. A elle je pense jour et nuit, et ainsi l'amour m'appelle. Je l'entendis en la prairie chanter près de la petite source, sous un bois de coudriers, seule, en une robe de soie; elle portait un chapeau d'or et une ceinture. Dieu! comme elle se divertissait et comme elle se parait !

III. Qui aime la valeur et met sa pensée dans un loyal amour, pour peu qu'il l'ait trouvé, sa joie en est bien doublée : il ne s'en doit séparer pour rien au monde. Qui se met en aventure d'aimer, Amour l'assure de joie et de gaieté, et de bien, et de prudence : qu'il lui dure toute sa vie.

IV.
        J'ain lou grant signor

35

        C'an haut honor beie[1],

        Large doneour,

        Et bien fiert d'espee,

Cant il vient a la melee :

Iceu me plaist et agree;

40

Mais des mavais n'ai ge cure,

C'on ne s'en poroit desduire :

Plain sont de malle faiture[2];

N'i ait raison ne droiture;

Fous est qui s'i aseüre!

45

V.
        J'ain lou chevalier

        Qui bien met sa terre

        An bial tornoier

        Et a lous conquere :

Ceu li doit an bien soferre.

50

Puis qu'il son avoir n'anserre,

Brut d'armes et druerie[3]

Maintient et chevalerie

Aveu bone compaignie,

Lors avra bien deservie

55

L'amor de sa douce amie.

VI.
        Je ne quier aler

        An poingnis de gerre,

        Mais ou froit celier,

        La me puet on querre.

60

A boin ferreit que bien ferre,

La voil mon argent offerre,

Et se j'ai trutes flories,

Gastiaus et poilles rosties,

Bien i vodroie m'amie,

65

Qui sanble rose espanie,

Por faire une raverdie.

---

1. De *béer* : du bas latin *badare* (comparez l'italien *badare* et le provençal *badar*), proprement « tenir la bouche ouverte en regardant quelque chose ». Ici, ce verbe a le sens de « désirer quelque chose avec grande avidité »; **2.** *Faiture* : terme féodal, serment de foi, hommage (cf. *forfaiture*, violation d'un serment); **3.** *Druerie* : nom abstrait formé à partir de l'adjectif dru, amoureux.

IV. J'aime le grand seigneur qui convoite le haut honneur, généreux donneur, et frappe bien avec l'épée quand il vient dans la mêlée : cela me plaît et m'agrée; mais des mauvais je n'ai cure, car, avec eux, on ne saurait prendre plaisir; ils sont pleins de mauvaises manières; il n'y a raison ni droiture; fou est qui s'y fie!

V. J'aime le chevalier qui vend bien sa terre pour aller à de beaux tournois et chasser les loups : cela lui doit, en bien, suffire. Puisqu'il n'enferme son avoir, il conserve le bruit des armes, et l'amour, et la chevalerie avec une noble compagnie, alors il aura bien mérité l'amour de sa douce amie.

VI. Je ne cherche à aller au combat de guerre, mais au froid cellier, c'est là qu'on peut me trouver. Au Bon Ferré[1], qui bien assoupit, là je veux offrir mon argent, et si j'ai des truites de belle taille, des gâteaux et des poules rôties, je voudrais bien y avoir mon amie, qui semble une rose épanouie, pour faire une chanson de printemps.

---

1. « Au Bon Ferré » pourrait être l'enseigne d'une taverne. Un vin « ferré » était un vin qui avait subi un traitement au fer rouge.

———— QUESTIONS ————

— Comparez ce poème au précédent : quels détails sont semblables dans les deux « reverdies »? Qu'en concluez-vous sur les conventions du genre?

— Appréciez le sentiment de la nature chez Colin Muset.

— L'éloge de la valeur chevaleresque n'est-elle pas un peu surprenante de la part du poète? Montrez qu'il résume en tout cas fort bien l'idéal courtois du parfait chevalier.

— Quel effet produit la dernière strophe, si on la compare aux précédentes?

— Cette « reverdie » ne contient-elle pas tous les thèmes chers à Colin Muset?

THIBAUT DE CHAMPAGNE

ROI DE NAVARRE

I. CHANSON D'AMOUR

1. Ausi conme unicorne[1] sui
   Qui s'esbahist en regardant,
   Quant la pucelle va mirant.
   Tant est liee de son ennui,
5. Pasmee chiet en son giron;
   Lors l'ocit on en traïson.
   Et moi ont mort d'autel senblant
   Amors et ma dame, por voir :
   Mon cuer ont, n'en puis point ravoir.

II. Dame, quant je devant vous fui
10. Et je vous vi premierement,
   Mes cuers aloit si tressaillant
   Qu'il vous remest, quant je m'en mui.
   Lors fu menez sans raençon
15. En la douce chartre[2] en prison
   Dont li piler sont de talent
   Et li huis sont de biau veoir
   Et li anel de bon espoir.

III. De la chartre a la clef Amors
20. Et si i a mis trois portiers :
   Biau Senblant[3] a non li premiers,
   Et Biautez cele en fet seignors[4];

---

1. *Unicorne* : allusion à la fable de la licorne, animal fabuleux à une seule corne. Séduite par les charmes d'une jeune fille, elle se tenait auprès d'elle et se laissait surprendre et tuer par les chasseurs. Le poète se compare à la licorne ; **2.** *Chartre* : prison, du latin *carcerem* ; **3.** *Biau Senblant* : personnage allégorique. C'est ainsi qu'est désignée dans le *Roman de la Rose* la cinquième flèche du dieu d'Amour (v. 949); **4.** Entendez : et celle-ci (l'Amour) donne à Beauté le commandement des geôliers. *Biautez* et son attribut *seignors* sont au pluriel.

THIBAUT DE CHAMPAGNE

ROI DE NAVARRE

Thibaut IV, comte de Champagne et de Brie, a laissé un nom dans l'histoire. En conflit avec son suzerain, le roi Louis VIII, il ne fut guère en meilleurs termes avec la reine Blanche de Castille, bien qu'à en croire les chroniqueurs il ait nourri pour elle un fervent amour. Aucun argument sérieux ne permet de la considérer comme l'inspiratrice de ses chansons. Il se réconcilia par la suite avec elle, prit part à la croisade de 1235 et mourut à Pampelune en 1253. La gloire qu'il n'avait pu trouver dans les combats, la poésie la lui donna. Sa réputation de poète courtois fut grande chez ses contemporains et chez ses successeurs, et seule l'apparition d'une nouvelle poétique, au XIVe siècle, put faire tomber son œuvre dans l'oubli. On a de lui soixante et une chansons; dix autres lui sont attribuées sans certitude. Celle-ci comporte cinq couplets d'octosyllabes *a b b a c c b d d*, avec un envoi de trois vers.

I. CHANSON D'AMOUR

Traduction :

I. Je suis comme la licorne qui s'ébahit en regardant la jeune fille, éprouvant un si doux malaise qu'elle se pâme en son giron; alors on la tue par surprise. C'est ainsi que m'ont blessé à mort l'Amour et ma dame, en vérité. Ils ont pris mon cœur que je ne puis ravoir.

II. Dame, quand je fus en votre présence et que je vous vis pour la première fois, mon cœur était si tremblant qu'il resta entre vos mains, à mon départ. Il fut alors conduit, sans rançon, captif en la douce prison dont les piliers sont de désir, et les portes de beau regard, et les anneaux de bon espoir.

III. Amour a les clefs de cette prison et il y a mis trois gardiens. Le premier a nom Beau-Semblant, et l'Amour leur a donné Beauté pour chef.

Dangier a mis en l'uis devant,
Un ort, felon, vilain, puant,
25   Qui mult est maus et pautoniers.
Cil troi sont et viste et hardi :
Mult ont tost un honme saisi.

IV. Qui porroit sousfrir les tristors
Et les assauz de ces huissiers ?
30   Onques Rollanz ne Oliviers
Ne vainquirent si granz estors;
Il vainquirent en conbatant,
Més ceus[1] vaint on humiliant.
Sousfrirs en est gonfanoniers[2];
35   En cest estor dont je vous di
N'a nul secors fors de merci.

V. Dame, je ne dout més rien plus
Que tant que faille a vous amer.
Tant ai apris a endurer
40   Que je sui vostres tout par us;
Et se il vous en pesoit bien,
Ne m'en puis je partir pour rien
Que je n'aie le remenbrer
Et que mes cuers ne soit adés
45   En la prison et de moi prés.

ENVOI : Dame, quant je ne sai guiler,
Merciz seroit de seson més
De soustenir si greveus fés.

---

1. *Ceus* : désigne les trois portiers de la prison symbolique; 2. *Gonfanoniers:* qui porte le *gonfanon*, l'étendard. On dit aujourd'hui *gonfalon* et *gonfalonier*.

Il a mis Danger à l'entrée, un affreux vilain traître et répugnant, qui est méchant et scélérat. Ils sont tous les trois lestes et rusés et ont bien vite fait de saisir un homme.

IV. Qui pourrait souffrir les rigueurs et les assauts de ces portiers ? Jamais Roland ni Olivier ne subirent de tels combats. Ils triomphèrent en luttant, mais pour vaincre ceux-là il faut s'humilier. Souffrir est son gonfalonier. Dans la bataille dont je vous parle, il n'y a d'autre salut que de se rendre.

V. Dame, ce que je crains le plus est d'être privé de votre amour. J'ai tant appris à souffrir que je suis à vous par habitude. Et si cela vous contrarie, je ne saurais y renoncer sans en garder le souvenir, sans que mon cœur ne soit toujours dans la prison et près de moi.

ENVOI : Dame, puisque je ne sais tromper, il conviendrait plutôt d'avoir pitié de moi qui porte un si pesant fardeau.

───── QUESTIONS ─────

— De quelle façon les allégories enrichissent-elles les thèmes de l'amour courtois ?
— Quelle est l'influence du *Roman de la Rose* dans cet emploi de l'allégorie ? Connaissez-vous des personnages allégoriques du *Roman de la Rose* qui reparaissent ici ?

II. CHANSON DU PHÉNIX

I. Chanter m'estuet; que ne m'en puis tenir :
Et si n'ai-je fors ennuis et pesance.
Mais tout adès se fait bon rejouir :
Qu'à faire duel nul du mont'ne s'avance.
5   Je ne chant'pas comme hom qui soit aimé,
Mais com destroit, pensif et égaré;
Que n'ai-je mais de bien nulle espérance;
Ains suis toujours par parole mené.

II. Je vous dis bien une rien sens mentir
10   Qu'en amour a heur et grand chéance.
Si je de li me pusse départir,
Mieux m'en venit qu'être sire de France.
Or ai-je dit com fox désespérés :
Mieux aime mourir recordant ses beautés
15   Et son grand sens et sa donce acointance
Qu'être sire de tout le mont clamés.

III. Je n'aurai biens : je sais à escient
Qu'amour me hait et ma Dame m'oublie.
S'est il raisons qui à aimer enprend
20   Qu'il ne dout mort ni peine ni folie.
Puis que me suis à ma Dame donné,
Amour le mant, et puis qu'il est son gré,
Ou je mourrai ou je raurai m'amie,
Ou ma vie n'iert mie ma santé.

III. CHANSON DU PHÉNIX

Cette chanson exprime déjà une mélancolie romantique. Le titre qu'on lui donne traditionnellement vient de l'image développée à la quatrième strophe : il y est fait allusion à la légende antique du phénix, oiseau merveilleux qui se brûlait lui-même sur le bûcher et renaissait de ses cendres.

Traduction :

I. J'ai envie de chanter, car je ne puis m'en empêcher. Et cependant je n'ai que tourments et chagrin. Mais, tout de suite, il fait bon se réjouir : car personne au monde ne gagne à s'attrister. Je ne chante pas comme quelqu'un qui serait aimé, mais comme un homme en détresse, pensif et égaré. Je n'ai plus aucune espérance de bonheur, mais je suis toujours mené par les mots.

II. Je vous affirme une chose sans mentir, c'est qu'en amour il y a hasard et grande chance. Si je pouvais m'éloigner d'elle, cela vaudrait mieux pour moi qu'être roi de France. Mais j'ai dit comme un fou désespéré : j'aime mieux mourir en rappelant ses beautés, son grand sens et ses douces façons qu'être proclamé roi de tout l'univers.

III. Je n'aurai pas de bonheur : je sais parfaitement qu'Amour me hait et que ma Dame m'oublie. Et il est juste pour qui entreprend d'aimer qu'il ne redoute ni mort, ni peine, ni folie. Puisque je me suis consacré à ma Dame, Amour l'ordonne, et puisqu'il lui plaît ainsi, ou je mourrai, ou je retrouverai mon amie, ou, de ma vie, je n'aurai plus la santé.

25   IV. Li Fenix quiert la bûche et le sarment
          Par quoi il s'ard et jette fors de vie :
          Aussi quis-je ma mort et mon tourment,
          Quant je la vois, si pitié ne m'aïe.
          Dex! comme fut li véoir savouré,
30   Dont puis j'aurai tant de maux endurés!
          Le souvenir m'en fait mourir d'envie
          Et le désirs et la grand volonté.

       V. Moult est Amors de merveilleux pouvoir,
          Qui bien et mal fait tant com lui agrée.
35   Moi fait ele trop longuement doloir :
          Raisons me dit que j'en ost ma pensée.
          Mais j'ai un cœur, ains tel ne fut trouvé.
          Toujours me dit : aimez, aimez, aimez.
          N'autre raison n'iert à par lui monstrée
40   Et j'aimerai, n'en puis être tourné.

ENVOI : Dame, merci, qui tous les biens avez.
          Toutes valeurs et toutes grans bontés
          Sont plus en vous qu'en dame qui soit née.
          Secourez moi que faire le pouvez.

III. PASTOURELLE

       I. L'autrier par la matinée
          Entre un bois et un vergier
          Une pastore ai trouvée
          Chantant por soi envoisier,
5   Et disoit un son premier :
          « Ci me tient li maus d'amor. »
          Tantost cele part m'en tor
          Que je l'oï desresnier,
          Si li dis sans delaier :
10   « Bele, Deus vos dont bon jor! »

IV. Le Phénix cherche la bûche et le sarment avec lesquels il se consume et se jette hors de la vie : ainsi je cherche ma mort et mon supplice, quand je la vois, si pitié ne m'aide. Dieu! comme j'ai savouré [le plaisir de] la voir, ce dont par la suite j'aurai enduré tant de maux! Le souvenir m'en fait mourir d'envie, ainsi que le désir et l'ardente volonté.

V. Amour a un très merveilleux pouvoir, lui qui fait le bien et le mal autant qu'il lui plaît. Elle me fait trop longuement souffrir : Raison me dit d'en ôter ma pensée. Mais j'ai un cœur, tel qu'il ne s'en est jamais trouvé auparavant. Toujours il me dit : « Aimez, aimez, aimez. » Nulle autre raison que lui ne sera montrée et j'aimerai, je n'en puis être détourné.

ENVOI : Pitié, Dame qui avez tous les dons. Toutes les qualités et toutes les grandes bontés sont plus en vous qu'en aucune dame au monde. Secourez-moi, car vous pouvez le faire.

 QUESTIONS

— Comparez cette chanson à la chanson de Gace Brulé, p. 12. Qu'y a-t-il de semblable et de différent dans la façon dont les deux poètes traitent le thème de l'amour malheureux?
— Étudiez en particulier la strophe IV. Quelle est l'importance de cette comparaison avec le phénix? Expliquez à ce sujet ce qu'est un symbole poétique.

III. PASTOURELLE

Traduction :

I. L'autre matin, entre un bois et un verger, j'ai trouvé une bergère chantant pour se distraire, et c'était une chanson de printemps : « Ici me tient le mal d'amour. » Aussitôt je me dirige de ce côté pour l'entendre raconter, et je lui dis sans tarder : « Belle, que Dieu vous donne le bonjour! »

II. Mon salu sanz demoree
   Me rendi et sanz targier.
   Mult ert fresche et coloree,
   Si m'i plot a acointier :
15   « Bele, vostre amor vous qier,
   S'avroiz de moi riche ator. »
   Ele respont : « Tricheor
   Sont mès trop li chevalier.
   Melz aim Perrin, mon bergier,
20   Que riche homme menteor. »

III. « Bele, ce ne dites mie;
   Chevalier sont trop vaillant.
   Qui set donc avoir amie
   Ne servir a son talent
25   Fors chevalier et tel gent?
   Mès l'amor d'un bergeron.
   Certes ne vaut un bouton.
   Partez vos en a itant
   Et m'amez; je vous creant :
30   De moi avrez riche don. »

IV. « Sire, par Sainte Marie,
   Vous en parlez por noient.
   Mainte dame avront trichie
   Cil chevalier soudoiant.
35   Trop sont faus et mal pensant,
   Pis valent de Guenelon[1].
   Je m'en revois en meson,
   Que Perrinez, qui m'atent,
   M'aime de cuer loiaument.
40   Abessiez vostre reson! »

---

1. *Guenelon* : Ganelon, le traître de la *Chanson de Roland*.

II. Mon salut sans retard elle me rendit sans hésiter. Elle était fraîche au teint coloré, et il me plut de l'aborder : « Belle, je vous demande votre amour, vous pourriez avoir de moi riche parure. » Elle répond : « Trompeurs sont beaucoup trop les chevaliers. J'aime mieux Perrin, mon berger, qu'un riche gentilhomme menteur.

III. — Belle, ne dites pas cela : les chevaliers sont trop vaillants. Qui donc sait avoir une amie et la servir à sa volonté, sinon un chevalier et de telles personnes ? Mais l'amour d'un petit berger, certes, ne vaut un bouton. Séparez-vous-en aussitôt et m'aimez; je vous l'affirme : de moi vous aurez riches présents.

IV. — Seigneur, par sainte Marie, vous en parlez inutilement. Ils auront abusé mainte dame, ces chevaliers perfides. Ils sont trop faux et leurs pensées trop mauvaises. Ils valent moins que Ganelon. Je retourne chez moi, car Perrinet, qui m'attend, m'aime loyalement de tout son cœur. Mettez fin à vos discours ! »

v. G'entendi bien la bergière,
 Qu'ele me veut eschaper.
 Mult li fis longue proiere,
 Mès n'i poi riens conquester.
45 Lors la pris a acoler,
 Et ele gete un haut cri :
 « Perrinet, traï, traï! »
 Du bois prenent a huper[1];
 Je la lais sanz demorer,
50 Seur mon cheval m'en parti.

ENVOI : Quant ele m'en vit aler,
 Si me dist par ranposner :
 « Chevalier sont trop hardi! »

IV. CHANSON DE CROISADE

I. Seigneurs, sachiez : qui or ne s'en ira
 En cele terre ou Deus fu morz et vis
 Et qui la croiz d'Outremer ne prendra,
 A paines més ira en Paradis.
5 Qui a en soi pitié ne remenbrance
 Au haut Seigneur doit querre sa venjance
 Et delivrer sa terre et son païs.

II. Tuit li mauvés demorront par deçà,
 Qui n'aiment Dieu, bien ne honor ne pris;
10 Et chascuns dit : « Ma fame, que fera ?
 Je ne leroie a nul fuer mes amis[2]. »
 Cil sont cheoit[3] en trop fole atendance,
 Q'il n'est amis fors que cil, sanz dotance,
 Qui pour nos fu en la vraie croiz mis.

---

1. *Huper* : verbe formé d'après le nom de l'oiseau qui s'appelle la « huppe ». On le trouve parfois sous la forme *hufer;* **2.** Les sentiments d'enthousiasme en faveur de la croisade avaient déjà singulièrement fléchi. Tous les poètes du temps, et notamment Rutebeuf, s'entendent pour stigmatiser l'égoïsme des barons; **3.** *Cheoit* : participe passé analogique de *cheoir*, à côté de *cheü*.

v. Je compris bien la bergère et qu'elle me veut échapper. Je lui fis une prière fort longue, mais je n'y pus rien gagner. Alors je me mis à l'embrasser, et elle pousse un cri perçant : « Perrinet, trahison! trahison! » Du bois on se met à crier; je la quitte sans perdre de temps, sur mon cheval je partis.

ENVOI : Quand elle me vit partir, elle me dit par dérision : « Les chevaliers sont très hardis! »

—— QUESTIONS ——————————

— Comparez ce poème aux pastourelles qui se trouvent tome I, p. 56 et suivantes. Quelles sont les lois du genre auxquelles se conforme Thibaut de Champagne? Quelle est sa part d'originalité?

IV. CHANSON DE CROISADE

Thibaut IV de Champagne reçut le commandement de la croisade de 1235, après la renonciation de l'empereur Frédéric II, excommunié. Les discordes entre les chefs firent échouer l'expédition. Cette chanson paraît avoir été composée entre la prise de croix de Thibaut, en 1235, et son départ de Marseille, en août 1239.

Cinq strophes de sept vers décasyllabiques *a b a b c c b*, avec un envoi de trois vers *c c b*. Rimes semblables par groupes de deux strophes.

Traduction :

I. Sachez-le, seigneurs : qui maintenant ne s'en ira vers la terre où Dieu mourut et vécut, qui ne prendra point la croix d'outre-mer, aura bien du mal à gagner le Paradis. Qui a en soi pitié et souvenir de notre souverain Seigneur doit poursuivre sa vengeance et délivrer sa terre et son pays.

II. Tous les mauvais qui n'aiment ni Dieu, ni l'honneur, ni la gloire resteront par-deçà. Et chacun dit : « Que deviendra ma femme? A aucun prix je n'abandonnerai mes amis. » Ceux-là se font d'étranges illusions, car nous n'avons pas, à coup sûr, de meilleur ami que celui qui, pour nous, mourut sur la vraie croix.

15   III. Or s'en iront cil vaillant bacheler
            Qui aiment Dieu et l'eneur de cest mont,
            Qui sagement vuelent a Dieu aler,
            Et li morveus, li cendreus[1] demorront;
            Avugle sont, de ce ne dout je mie.
20   Qui un secors ne fet Dieu en sa vie,
            Et[2] pour si peu pert la gloire du mont.

      IV. Deus se lessa por nos en croiz pener
            Et nos dira au jor ou tuit vendront :
            « Vous qui ma croiz m'aidastes a porter,
25   Vos en iroiz la ou mi angre sont;
            La me verroiz et ma mere Marie.
            Et vos par qui je n'oi onques aïe
            Descendroiz tuit en Enfer le parfont. »

      V. Chascuns cuide demorer touz hetiez
30   Et que jamès ne doie mal avoir;
            Ensi les tient Anemis[3] et pechiez
            Que il n'ont sens, hardement ne pouoir.
            Biaus sire Deus, ostez leur tel pensee
            Et nos metez en la vostre contree
35   Si saintement que vos puissons veoir!

ENVOI : Douce dame, roïne coronee,
            Priëz pour nos, Virge bone eüree[4]!
            Et puis aprés ne nos peut mescheoir.

---

1. *Morveus* : les malades, d'où les poltrons. *Cendreus* : ceux qui demeurent au foyer, les lâches; 2. *Et* introduit ici la proposition principale dont le sujet, non exprimé, est l'antécédent de *qui* du vers précédent; 3. *Anemis* : le diable; 4. *Bone eüree* : bienheureuse. Emploi adverbial de l'adjectif *bon*, bien que l'accord grammatical se fasse avec le mot suivant.

III. Dès maintenant partiront les vaillants chevaliers qui aiment Dieu et l'honneur de ce monde, ceux qui sagement veulent aller vers lui. Quant aux poltrons, aux couards, ils resteront; ils sont aveugles, ce n'est pas douteux. Qui refuse d'aider Dieu en sa vie perd du même coup la gloire du monde.

IV. Dieu se laissa pour nous torturer sur la croix et il nous dira au jour du jugement : « Vous qui m'aidâtes à porter ma croix, vous irez là où sont mes anges. Vous m'y verrez ainsi que ma mère Marie. Et vous, de qui jamais je n'eus aucun secours, vous descendrez tous au gouffre de l'Enfer. »

V. Chacun s'imagine que son bonheur durera toujours et que jamais le mal ne l'atteindra. Prisonniers du Diable et du péché, ils n'ont plus ni raison, ni courage, ni volonté. Beau sire Dieu, ôtez-leur telle pensée et mettez-nous dans votre contrée [le Paradis] si saintement que nous puissions vous voir.

ENVOI : Douce dame, reine couronnée, priez pour nous, ô Vierge bienheureuse! Après cela aucun malheur ne peut nous arriver.

───────── QUESTIONS ─────────

— Comment cette chanson nous révèle-t-elle indirectement les résistances que rencontrait l'esprit de croisade ?
— Relevez toutes les expressions qui donnent à ce poème une véhémence particulière.
— Comparez à cette chanson la deuxième chanson de croisade de Conon de Béthune citée page 24. Quel est le thème sentimental que Thibaut de Champagne ne développe pas ? Pourquoi ?

RUTEBEUF

L'activité de Rutebeuf commence à peu près au milieu du XIIIe siècle; elle paraît avoir pris fin vers 1285. Elle s'est exercée en des voies fort diverses : fabliaux, théâtre *(Miracle de Théophile)*, dits moraux, complaintes funèbres, poèmes satiriques *(Renart le Bestourné)*. Il est peut-être né en Champagne; en tout cas, il a vécu à Paris. Il savait le latin, mais il n'a fait partie ni du clergé ni de l'Université. Jongleur, il a mené jusqu'à sa mort une existence de bohème, fréquentant avec assiduité les tavernes, où il s'adonnait au jeu. Sur cette vie pitoyable, il nous a lui-même amplement documentés.

I. C'EST DE LA POVRETÉ RUTEBEUF

    I. Je ne sai par ou je comance,
       Tant ai de matiere abondance
       Por parler de ma povreté,
       Por Dieu vos pri, frans rois de France.
5   Que me donez quelque chevance,
       Si ferez trop grant charité.
       J'ai vescu de l'autrui chaté[1]
       Que l'en m'a creü et presté;
       Or me faut chascuns de creance,
10   Qu'on me set povre et endeté :
       Vos r'avez[2] hors du regne esté
       Ou tote avoie m'atendance.

    II. Entre chier tenz et ma mesnie
       Qui n'est malade ne fenie,
15   Ne m'ont lessié deniers ne gages :
       Gent truis d'escondire aramie[3]
       Et de doner mal enseignie;

---

1. *Chaté* : du latin *capitale*, élément principal d'un bien. Apparaît au Moyen Age sous les formes *chatel*, *chetel*, avec le sens général de *biens ;* subsiste encore dans le français moderne *cheptel*, bestiaux et matériel de culture concédés à un fermier; 2. *R'avez* : le préfixe *re* n'indique pas la répétition, mais l'opposition; 3. *Aramie* : participe passé du verbe *aramir*, d'origine germanique, fermement décidé à, désireux de.

RUTEBEUF

Beaucoup des succès de Rutebeuf étaient dus à des poèmes satiriques. Mais il est arrivé aussi que de hauts personnages lui commandent des *Complaintes funèbres*. Certaines sont des poèmes importants, bien composés, savants même; parfois, ils révèlent un regret sincère et aussi, quand il s'agit d'un croisé mort en Terre infidèle, une foi robuste.

Cette facilité à s'enthousiasmer, cette passion toujours prête à se manifester ont amené les contemporains de Rutebeuf à faire appel à son talent, lequel fut ainsi au service de plusieurs grands mouvements d'idées : il s'est opposé aux ordres mendiants; il a collaboré à la défense de l'Université de Paris. En particulier, un maître de cette université, Guillaume de Saint-Amour, a été l'objet, de la part de Rutebeuf, d'un dévouement resté légendaire. Si bien que, malgré sa misère et le laisser-aller de sa vie, par ses hautes relations, par le mordant de son éloquence satirique, par la conviction qu'il a apportée à la diffusion de grandes idées, il a été une des fortes personnalités du XIIIᵉ siècle.

I. C'EST DE LA PAUVRETÉ RUTEBEUF

La pièce suivante a été écrite entre le départ de Saint Louis pour la huitième croisade (1ᵉʳ juillet 1270) et le moment où fut connue en France la mort du roi, survenue devant Tunis le 25 août 1270.

Traduction :

I. Je ne sais par où commencer, tant abonde la matière, pour parler de ma pauvreté. Pour Dieu, je vous prie, noble roi de France, procurez-moi quelques ressources, ce sera grande charité. J'ai vécu du bien d'autrui qu'on m'a confié et prêté. Mais maintenant chacun manque de confiance en moi, car on me sait pauvre et couvert de dettes. Et vous-même vous êtes absenté du royaume, vous en qui j'avais placé tout mon espoir.

II. La rigueur des temps et ma famille, qui n'est ni malade ni morte, ne m'ont laissé deniers ni gages; je ne trouve que des gens désireux de m'éconduire et mal élevés dans l'art de donner.

Du sien garder est chascuns sages.
Mors me r'a fet de granz damages,
20 Et vos, bons rois, en deus voiages[1]
M'avez bone gent esloignie,
Et li lointainz pelerinages
De Tunes qui est leus sauvages
Et la male gent renoïe.

25 III. Granz rois, s'il avient qu'à vos faille
(A toz ai je failli sanz faille)
Vivres me faut et est failliz ;
Nus ne me tent, nus ne me baille ;
Je touz de froit, de faim baaille,
30 Dont je sui mors et maubailliz.
Je sui sanz cotes et sanz liz,
N'a si povre jusqu'à Senliz.
Sire, si ne sai quel part aille ;
Mes costez conoit le pailliz[2],
35 Et liz de paille n'est pas liz,
Et en mon lit n'a fors la paille.

  IV. Sire, je vos faz a savoir :
Je n'ai de quoi du pain avoir ;
A Paris sui entre toz biens,
40 Et n'i a nul qui i soit miens.
Pou i voi et si i preng pou ;
Il m'i sovient plus de saint Pou[3]
Qu'il ne fet de nul autre apostre.
Bien sai Pater, ne sai qu'est nostre[4],
45 Que li chiers tenz m'a tot osté,
Qu'il m'a si vuidié mon osté[5]
Que li Credo[6] m'est deveez
Et je n'ai plus que vos veez.

---

1. Allusion aux deux croisades de Saint Louis ; 2. *Pailliz* : tas de paille ; 3. Jeu de mots sur *pou*, qui signifie « peu » (latin *paulum*), ou Paul (latin *Paulum*). Le poète, dans sa misère, doit se contenter de peu ; 4. Si le poète peut dire le premier mot de la prière *Pater noster*, il n'en peut dire le second, puisqu'il ne possède rien ; 5. *Osté* : hôtel, demeure, maison ; 6. Le *Credo*, autre prière chrétienne, lui est interdite, puisqu'on lui refuse tout « crédit ».

Chacun s'entend à conserver son bien. La mort m'a causé de grands dommages, et vous, bon roi, avec vos deux expéditions, vous avez éloigné de moi de généreux protecteurs; [voilà ce qu'ont fait] le lointain pèlerinage de Tunis, qui est pays sauvage, et la méchante race des mécréants.

III. Grand roi s'il advient que vous m'abandonniez (tous m'ont déjà abandonné sans exception), je n'ai plus le moyen de vivre. Nul ne me tend, nul ne me donne; je tousse de froid, de faim je bâille, et j'en meurs en piteux état. Je suis sans matelas et sans lit; n'y a si pauvre jusqu'à Senlis. Sire, ne sais de quel côté aller. Mes flancs ne connaissent que la paille, et lit de paille n'est pas lit, et dans mon lit il n'y a que de la paille.

IV. Sire, je vous le fais savoir, je n'ai pas de quoi acheter du pain. Je vis à Paris, au milieu des richesses, mais il n'est rien qui m'appartienne. J'en vois peu et j'en touche peu; il me souvient plus de saint Peu que d'aucun autre apôtre. Je sais bien le *Pater*, mais ne sais ce qu'est « notre », car la dureté des temps m'a privé de tout. Elle a si bien vidé ma demeure que le *Credo* m'est interdit, et je n'ai rien de plus que ce que vous voyez.

─────── QUESTIONS ───────

— Montrez que ce poème prend la forme d'une « épître au roi ». Avec quels arguments le poète s'ingénie-t-il à convaincre le roi qu'il doit lui porter secours ?
— On a dit que ce poème est un des premiers exemples en littérature française de poésie intime. En quoi est-ce justifié ?
— Relevez les expressions réalistes qui servent au poète à décrire sa misère. Comment l'humour naît-il du ton à la fois plaisant et amer ?
— Rutebeuf donne-t-il l'impression d'être sincère ? Ne peut-on néanmoins dire que ce poème est dans une certaine mesure un poème savant ?
— Comparez ce poème à celui de Colin Muset (*les Profits et déboires du trouvère*, p. 46) : ressemblances et différences.
— Que deviendra ce genre de poésie sous la plume de Marot ?

II. DIT DES RIBAUDS[1] DE GRÈVE

Ribaut, or estes vos a point :
Li aubre despoillent lor branches,
Et vos n'aveiz de robe point,
Si en avrez froit a vos hanches.
5   Queil vos fussent or li porpoint
Et li seurquot forrei a manches.
Vos aleiz en estai si joint,
Et en yver aleiz si cranche,
Vostre soleir n'ont mestier d'oint,
10   Vos faites de vos talons planches.
Les noires mouches vos ont point;
Or vos repoinderont les blanches.

III. DIT DES BÉGUINES

En rien que beguine die
N'entendez tous se bien non;
Tout est de religion
Quanque l'on trouve en sa vie.
5   Sa parole est prophétie;
S'elle rit, c'est compagnie;
S'el pleure, dévotion;
S'elle dort, elle est ravie;
S'el songe, c'est vision;
10   S'elle ment, nel croyez mie;
Si beguine se marie,
C'est sa conversation :
Ses vœux, sa profession
N'est pas à toute sa vie.
15   Cet an pleure et cet an prie,
Et cet an prendra baron.

---

1. Les *ribauds* parisiens — ceux qu'on appellerait aujourd'hui des clochards — hantaient au Moyen Age la place de Grève, qui se trouvait à l'emplacement de l'actuelle place de l'Hôtel-de-Ville.

II. DIT DES RIBAUDS DE GRÈVE

Traduction :

Ribauds, vous voilà donc bien lotis : les arbres dépouillent leurs branches, et vous, vous n'avez point de vêtement ; vous aurez froid aux hanches. Combien vous seraient utiles les pourpoints et les surcots fourrés avec des manches. Vous allez en été si alertes et, en hiver, vous allez si mal en point ; vos souliers n'ont pas besoin de graisse, et vous faites des semelles de vos talons. Les mouches noires vous ont piqués ; à leur tour vous piquerez les mouches blanches [les flocons de neige].

───── **QUESTIONS** ─────

— Relevez les expressions réalistes que contient ce poème ; nous permettent-elles d'avoir une image précise de ce qu'étaient les ribauds du XIIIe siècle ?

— L'ironie du poète n'est-elle pas mêlée d'une certaine tendresse ? Quels pouvaient être les sentiments réels de Rutebeuf à l'égard de ces malheureux ?

III. DIT DES BÉGUINES

Plus mordante et empreinte d'une rage froide est la satire des ordres religieux. Rutebeuf cloue au pilori les béguines, institution fondée en 1170, répandue surtout dans le nord de la France ; les béguines prononçaient les trois vœux monastiques (pauvreté, chasteté, obéissance), mais ces vœux n'étaient pas perpétuels, et une béguine pouvait rentrer dans le monde et se marier (voir vers 11 et suivants).

Traduction :

Quoi que dise une béguine, n'y entendez tous que du bien ; tout vient de la religion, quoi qu'on trouve en sa vie. Sa parole est prophétie ; si elle rit, c'est politesse ; si elle pleure, dévotion ; si elle dort, elle est en extase ; si elle rêve, c'est vision ; si elle ment, ne le croyez pas ; si béguine se marie, c'est sa manière d'être sociable : ses vœux, sa profession [de foi religieuse], ce n'est pas pour toute sa vie. Cette année-ci, elle pleure, cette année-là, elle prie, et cette autre année, elle prendra seigneur et maître.

Or est Marthe, or est Marie[1];
Or se garde, or se marie,
Mais n'en dites se bien non :
20   Le Roi nel souffrirait mie.

IV. PRIÈRE

I. Mon boen ami Diex le mainteingne!
Mais raisons me montre et enseingne
Qu'a Dieu face une teil priere :
C'il est moiens, que Diex l'itiengne,
5   Que puis qu'en seignorie veingne
G'i per honeur et bele chiere!

II. Moiens est de bele meniere
Et s'amors est ferme et entiere
Et ceit bon grei qui le compeingne;
10   Car com plus basse est la lumiere,
Miex voit hon avant et arriere,
Et com plus hauce, plus esloigne.

III. Quant li moiens devient granz sires,
Lors vient flaters et naist mesdires;
15   Qui plus en seit, plus a sa grace.
Lors est perduz joers et rires :
Ses roiaumes devient empires
Et tuit ensuient une trace.

IV. Li povre ami est en espace :
20   C'il vient a cort, chacuns l'en chace
Par gros moz ou par vitupires.
Li flateres de pute estrace
Fait cui il vuet vuidier la place :
C'il vuet, li mieudres est li pires.

---

1. *Marthe, Marie* : allusion à l'Évangile : Marthe vivait dans le monde, Marie avait choisi la vie contemplative.

Tantôt elle est Marthe, tantôt elle est Marie; tantôt elle se garde et tantôt se marie. Mais n'en dites rien d'autre que du bien : le roi ne le permettrait pas.

─────── QUESTIONS ───────

— Dans quelle mesure cette poésie satirique est-elle de forme savante ? Montrez que la critique n'en a que plus de force.

— Quel est le vice dominant que Rutebeuf reproche aux béguines ? Pourquoi est-ce ce reproche qui apparaît le plus fréquemment contre les gens d'Église et les dévots ?

— Quelle est l'importance des deux derniers vers en un temps où les ordres religieux, bénéficiant de la piété royale, pullulaient ?

IV. PRIÈRE

Traduction :

I. Mon bon ami, que Dieu le maintienne [dans son état]! C'est la raison qui me guide et m'invite à faire une telle prière à Dieu : s'il est dans la médiocrité, que Dieu l'y tienne, puisque, lorsqu'il devient seigneur, j'y perds considération et bonne chère !

II. L'homme dans la médiocrité est d'un commerce agréable, et son amitié est solide et pleine; il sait bon gré à qui l'accompagne; car plus basse est la lumière, mieux on voit devant et derrière, et plus elle est haute, plus elle s'éloigne.

III. Quand l'homme dans la médiocrité devient grand seigneur, alors arrive la flatterie et naît la médisance. Le plus habile a le plus de crédit. Alors sont perdus divertissements et rires : son royaume devient un empire, et tous prennent le même chemin.

IV. L'ami pauvre est tenu à l'écart: s'il vient à la Cour, chacun l'en chasse par des gros mots et des injures. Le flatteur d'ignoble origine fait vider la place à qui il veut : s'il le veut, le meilleur est le pire.

─────── QUESTIONS ───────

— Montrez que c'est un Rutebeuf moraliste qui se révèle ici. Comment développe-t-il l'éloge de la médiocrité et la satire des parvenus ?

— Quelle image relève un peu la banalité abstraite du développement ?

aiſſier meſtuet le tamoyer

car ie me doi bñ eſmayer

qñt tenu lai ſi longement

ñ me doit li cuers latinoyer

onques ne meſeut amoyer

dieu ſicuur p̃ärfettement

ins ai mis mon entendem̃t

n cu et en eſtrement

aine ne dxignai nes ſaumoyer

RUTEBEUF PRIANT LA VIERGE

Miniature du XIIIe siècle.

GUILLAUME DE MACHAUT

Le poète Guillaume de Machaut, le premier théoricien du nouvel art poétique, naquit vers l'an 1300 dans la Champagne ardennaise. Il vécut dans l'entourage des princes, en bons termes avec Charles le Mauvais comme avec Charles V et le duc de Berry. Admirateur du *Roman de la Rose*, il s'en inspire sans retenue; à côté de dits narratifs et de débats, son œuvre comprend un grand nombre de ces poèmes à forme fixe, virelais, rondeaux, chants royaux, ballades, dont il avait contribué plus que tout autre à formuler les règles. Si, trop souvent esclave de la forme, il manque parfois d'aisance et d'originalité et se complaît trop volontiers au jeu des allégories, il lui arrive aussi d'exprimer avec sincérité ses sentiments personnels.

La ballade (mot emprunté au provençal *balada*) désigne à l'origine une chanson de danse. Elle comprend alors trois couplets sur les mêmes rimes, suivis d'un refrain.

I. BALLADE

1.	Phyton*, le mervilleus** serpent	*Python[1] **monstrueux
	Que Phebus de sa flesche occit,	
	Avoit la longueur d'un erpent*,	*arpent
	Si com Ovides le descrit.	
5	Mais onques homs serpent ne vit	
	Si fel*, si crueus ne si fier	*perfide
	Com le serpent qui m'escondit*,	*éconduit
	Quant a ma dame merci quier*.	*je demande
II.	Il ha sept chiés*, et vraiement,	*têtes
10	Chascuns a son tour contredit*	*combat
	La grace, ou mon vray desir tent,	
	Dont mes cuers an doleur languit :	
	Ce sont Refus, Desdaing, Despit,	
	Honte, Paour, Durté, Dangier,	
15	Qui me blessent en l'esperit,	
	Quant a ma dame merci quier.	

---

1. *Python* : allusion à la légende antique; le serpent Python, qui gardait l'antre où Géa rendait les oracles, fut tué par Apollon, non loin de Delphes. Le poète se réfère (v. 4) au récit d'Ovide (*Métamorphoses*, liv. Ier, v. 436-452).

III. Si ne puis durer longuement,
Car ma tres douce dame rit
Et prent deduit* en mon tourment   *plaisir
20 Et es meschiés*, ou mes cuers vit.   *malheur
Ce me destruit, ce me murdrit,*   *meurtrit
Ce me fait plaindre et larmoier,
Ce me partue* et desconfit**,   *achève **anéantit
Quant a ma dame merci quier. (1)

II. BALLADE

Voici une variante du vieux thème de l'*amour lointain*. Notez la rigueur géométrique de cette ballade : à *une* strophe correspond *une* idée ou *un* sentiment.

I. J'aim mieux languir en estrange contrée*   *pays étranger
Et ma dolour complaindre* et dolouser**   *lamenter ma douleur
Que pres de vous, douce dame honnourée,   **gémir
Entre les liez*, triste vie mener;   *parmi les êtres joyeux
5   Car se* loing souspir et plour,   *si
On ne sara la cause de mon plour,
Mais on puet ci veoir legierement*   *facilement
Que je langui pour amer loyaument*.   *à cause d'amour
                                                      loyal

II. Et s'on congnoit que j'ay face eplourée,
10 Ce poise* moy, ne le puis amander**;   *gêne **changer
Car grant doleur ne puet estre celée;
Aussi ne fait grant joie, a droit parler*,   *pour dire le vrai
Comment seroit en baudour*   *en gaieté

QUESTIONS

1. Énumérez tous les procédés d'invention poétique (mythologie, allégories) et les artifices de style qui servent ici d'ornement à un thème connu. Peut-on, cependant, parler d'un véritable renouvellement de la poésie ?

— Étudiez la versification de cette ballade.

Cuer qui languist en peinne et en dolour?
15 Je ne le sçay; pour ce pense on souvent
Que je langui pour amer loyaument.

III. Si vous lairay* comme le mieus amée   *laisserai
Qu'onques* amans peüst servir n'amer   *que jamais
Mais au partir* mon cuer et ma pensée   *à la séparation
20 Vous lais* pour vous servir et honnourer;   *je vous laisse
     Ne jamais n'aront retour*   *ne feront retour
Par devers moy; et pour ce a fine Amour*   *au parfait amour
Pri de savoir vous face* clerement   *je demande de vous faire savoir
Que je langui pour amer loyaument. (**2**)

III. RONDEAU

Le *rondeau* (*rondet* ou *rondel*), comme le *virelai* et la *ballade*, procède de la chanson de danse ou *ballette*. Il comporte, sous sa forme primitive, un refrain de deux vers, un vers suivi du premier vers du refrain, deux vers suivis du refrain complet. C'est ainsi que le pratique Guillaume de Machaut dans les trois exemples suivants.

I. Quant je me depart dou manoir*   *demeure
Ou ma treschiere dame maint*,   *habite, reste

II. Mon cuer li convient remanoir,*   *demeurer
Quant je me depart dou manoir.

III. Et quant senz cuer m'estuet* manoir**,   *il me faut **rester
Attains sui de mort, se* ne maint,   *si
Quant je me depart dou manoir,
Ou ma treschiere dame maint.

───── QUESTIONS ─────

2. Analysez cette ballade en montrant que chacune des strophes développe une idée ou un sentiment.

— Comparez ce poème aux deux précédents et essayez de montrer comment, sur un thème banal de l'amour courtois, Guillaume de Machaut essaie de faire œuvre nouvelle et variée.

IV. RONDEAU

I. Quant Colette Colet colie*
    Elle le prent par le colet.

*prend par le cou

II. Mais c'est trop grant merencolie*,
     Quant Colette Colet colie.

*mélancolie

III. Car ses deus bras a son col lie
      Par le dous semblant de colet*
      Quant Colette Colet colie,
      Elle le prent par le colet.

*collet (piège)

V. RONDEAU

I. Faites mon cuer tout a un cop* morir,
    Tres douce dame, en lieu de guerredon*;

*d'un seul coup
*récompense

II. Puis que de riens nel volés resjoïr*,
    Faites mon cuer tout a un cop morir;

*de rien ne voulez le réjouir

III. Car il vaut mieus assez* qu'einsi languir
     Sans esperer joie ne garison*.
     Faites mon cuer tout a un cop morir.
     Tres douce dame, en lieu de guerredon. (3)

*cela vaut bien mieux
*guérison

QUESTIONS

---

3. Étudiez la versification de ces rondeaux. Quel effet produit la répétition des vers, ainsi agencée ?

— Comparez les sujets traités par ces trois poèmes : sont-ils tous trois de même inspiration ? Sont-ils des sujets originaux par rapport à la poésie antérieure ?

— A quoi se borne le renouvellement poétique représenté par le rondeau, chez Guillaume de Machaut ?

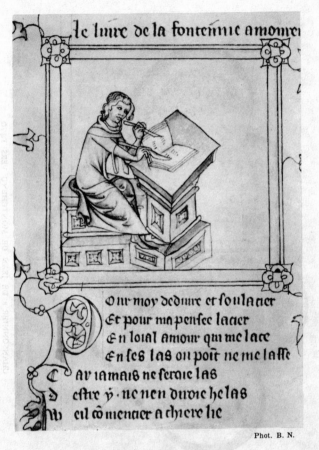

Phot. B. N.

GUILLAUME DE MACHAUT
D'après un manuscrit de 1370.

Bibliothèque nationale.

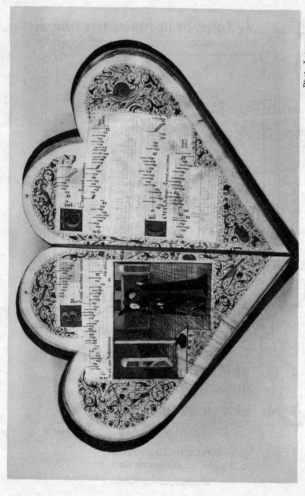

« CHANSONNIER » DE JEAN DE MONTCHENU VERS 1470

VI. LE DIT DE LA FONTAINE AMOUREUSE

Guillaume de Machaut reste toujours un peu poète à gages, poète de cour. Voici deux fragments lyriques d'un très long poème dicté par l'actualité : Jean de Berry, fils du roi Jean le Bon, dut, après le traité de Brétigny, partir en Angleterre, comme otage. De ce fait lui-même, Guillaume de Machaut ne tire aucun parti, mais il écrit une « consolation », en se servant de souvenirs littéraires tirés du *Roman de la Rose* : la Dame réconforte son amant.

	Amis, je te vieng conforter★	★réconforter
	Et joie et solas★ aporter	★consolation
	Et de ces tenebres oster	
2210	Ou je te voy;	
	Et aussi te vien j'enorter★	★exhorter
	Que tu te vueilles deporter★	★cesser
	De faire dueil et toy getter★	★te tirer
	De cest anoy★,	★ennui
2215	Et je te promés, par ma foy,	
	Qu'm'amour et le cuer de moy	
	Aras toudis★ aveques toy,	★toujours
	Et sans fausser★	★faillir
	Seray tienne, faire le doy;	
2220	Et se tu me prens cest ottroy★,	★don
	Jusqu'a mort me verras, ce croy★,	★je le crois
	Desconforter★.	★me désespérer
	Amis, je te conforteroie★	★consolerais
	Moult volentiers, se je pooie,	
2225	Car tu es miens et je suis toie★,	★tienne
	Sans retollir★.	★sans réserve
	Venus★ le vuet, et je l'ottroie.	★Vénus
	Or te conforte★ et te resjoie;	★console-toi
	Car loing et pres, ou que je soie,	
2230	T'aim et desir	
	Et ameray sans repentir,	
	Qu'★'en toy sont mis tuit mi plaisir,	★car
	Tuit mi penser, tuit mi desir.	
	Que te diroie?	
2235	Sans toy biens★ ne me puet venir;	★bonheur

Sans toy ne me puis resjoïr ;
Faire me pues* vivre et morir   *tu peux
        Et avoir joie.
[. . . .]
Dous amis, einsi dois tu faire.
Mais tu fais dou tout* le contraire,   *en tout
2465 Qui durement me doit desplaire.
        Fay bonne chiere*,   *figure
Et lay ton crier et ton braire[1]
Que vaut uns homs de tel affaire* ?   *attitude
En voie me mes de retraire*   *de m'écarter
2470   Par ta maniere.
Et ja soit ce que bien affiere*   *et déjà il serait convenable
Que je me tenisse plus chiere,
Je ne te vueil pas estre fiere*,   *cruelle
        Mais debonnaire,
2475 Ne ja ne te seray doubliere*,   *perfide
Ains t'ameray d'amour entiere.
Que vues-tu plus ? N'est ce matière
        Qui te doit plaire ?... **(4)**

EUSTACHE DESCHAMPS

A la décadence de l'esprit féodal et courtois correspond celle de la poésie lyrique telle qu'elle avait fleuri jusqu'à la fin du XIIIᵉ siècle. On s'efforce vainement de renouveler les thèmes épuisés à l'aide de symboles, d'allégories et de réminiscences livresques. Pour remédier à la banalité du fond, on raffinera sur la forme, et tandis que la chanson, disparaissant de la littérature, se soumettra de plus en plus aux exigences du goût populaire, les poètes lyriques chercheront le succès dans l'appli-

---

1. « Laisse tes cris et tes plaintes. » Le verbe *braire* a encore le sens général de « crier », sans aucune nuance péjorative.

--- **QUESTIONS** ---

4. Comment le vocabulaire, les images, les sentiments traditionnels de l'amour courtois peuvent-ils s'adapter à la situation de Jean de Berry dans ce poème de circonstance ?

cation mécanique de règles ingénieuses. Dans cette production confuse, qui aboutira à la fin du xve siècle aux fades compositions des rhétoriqueurs, quelques œuvres et quelques noms brillent cependant d'un certain éclat. C'est Guillaume de Machaut, dont la poésie a parfois un accent de fraîcheur et de sincérité, c'est ensuite Eustache Deschamps, dont l'œuvre immense et variée traduit, avec une frappante exactitude, les idées et les mœurs de son temps. Né en Champagne vers 1346, il fut au service des ducs d'Orléans et voyagea à travers l'Europe comme messager diplomatique. A partir de 1373, il remplit les fonctions de bailli de Senlis, puis celles de maître des Eaux et Forêts de Champagne et de Brie. Mais la plus grande partie de son activité fut consacrée aux lettres. Théoricien de la nouvelle poétique, il fut un maître dans l'application. On appréciera, surtout dans ses poésies, le souci d'utiliser l'expérience de sa vie publique et privée.

Les premiers poèmes cités ici sont des ballades. Ce genre n'a pas été créé par Eustache Deschamps, mais transformé par lui. Une ballade comprenait trois couplets sur les mêmes rimes, suivis d'un refrain. Eustache Deschamps y ajoute un envoi de quatre vers, reprenant les rimes de la deuxième partie des couplets.

I. CONTRE LA MAUVAISE MER

BALLADE

Cette ballade fut sans doute écrite par le poète au cours d'une de ses missions politiques. Il alla peut-être en Orient, à la suite de Pierre de Lusignan; peut-être assista-t-il à la prise d'Alexandrie en 1365.

En ce qui concerne les allusions mythologiques à Neptune, Glaucus, Éole, Eurus, qui ouvrent le poème, il serait utile de relire le livre XIII des *Métamorphoses* d'Ovide (vers 906 et suivants) : on constatera l'influence de cette poésie latine, savante et raffinée, sur les œuvres du xive siècle finissant. Elle leur donne un caractère un peu artificiel, qui fait regretter la spontanéité des siècles précédents, mais qui annonce aussi la poésie humaniste de la Renaissance.

1. De Neptunus et de Glaucus[1] me plain

    Qui contre moy font la mer felonnesse*,   *traîtresse

    Et d'Eolus, dieu des vens, le villain,

    Qui par Eurus[2] m'a empeschié l'adresse*   *direction

5 De mon propos* et passer ne me lesse,   *projet

1. *Glaucus* : pêcheur de Béotie changé en dieu marin (Ovide, *Métamorphoses*, XIII, v. 906); 2. *Euru* : personnification mythologique du vent du sud-est.

Par ses soufflez fait l'eaue tempester
En escriant, quant mon passage cesse* :   *il arrête ma traversée
Contre les vens ne puet nulz de la mer.

II. Li dieux de l'air fait plouvoir soir et main*,   *matin
10 L'air obscurcit; Jupiter me courresce*,   *est en colère contre
    Aux dieux de mer a estandu sa main;   moi
    Saturne o eulx* son froit yver m'adresse**,   *avec eux **dirige
    Et chascuns d'eulx de sejourner me presse.   contre moi
    Mon navire font par leur force encrer;
15 Mouvoir ne puis, c'est ce qui trop me blesse :
    Contre les vens ne puet nulz de la mer.

III. J'ai du dieu Mars, en guerre souverain,
    Tout le pouoir; de Cerès la deesse,
    Du dieu Bacchus, vin, fleur, becuit* et grain,   *biscuit
20 Chars salees; de Juno la richesce
    Pour bien paier; de Venus la proesce*   *vaillance
    Qui jeunes gens fait par amours amer.
    Cause ne sçay se mon fait se delesse :
    Contre les vens ne puet nulz de la mer.

ENVOI.

25 Dieux Mars, j'atten printemps de douçour plain,
    Que* l'on pourra paisiblement rymer;   *où
    Lors y fait bon, en yver n'y fait sain :
    Contre les vens ne puet nulz de la mer. (5)

─────── QUESTIONS ───────

5. En quoi cette œuvre d'Eustache Deschamps vous·révèle-t-elle un
poète qui tente de renouveler l'inspiration ?
   — Par quel procédé le poète cherche-t-il à donner une grandeur
poétique à son sujet ? Quelle impression en résulte pour le lecteur
moderne ? Le poème a-t-il cependant une valeur descriptive ?
   — Y a-t-il dans ce poème des détails qui permettent de préciser les
circonstances de cette tempête ? Montrez qu'Eustache Deschamps traite
plutôt le sujet en moraliste. Ne peut-on, en particulier, donner un sens
très général au vers-refrain ?
   — Étudiez la versification. En quoi l'envoi enrichit-il la ballade ?

II. LE CHAT ET LES SOURIS

BALLADE

La ballade est aussi utilisée pour développer non non plus un thème lyrique, mais un apologue. Le sujet de la fable suivante se trouvait au Moyen Age dans l'*Isopet I* (fable LXII : *Des souris qui firent concile contre le chat*). C'est le même sujet que reprendra La Fontaine dans *Conseil tenu par les rats* (II, II).

L'envoi est adressé au « prince ». A l'origine, ce terme désignait le président d'un *puy* (société littéraire qui organisait des concours poétiques), et la tradition s'est maintenue ensuite d'adresser l'envoi à un « prince » imaginaire.

I.	Je treuve qu'entre les souris	
	Or un merveilleus★ parlement★★	★étonnant ★★assemblée
	Contre les chas leurs ennemis	
	A veoir maniere comment	
5	Elles vesquissent★ seurement	★pourraient vivre
	Sanz demourer en tel debat;	
	L'une dist lors en arguant★ :	★opposant un argument
	« Qui pendra la sonnette au chat? »	
II.	Ciz consaus★ fu conclus et pris;	★projet
10	Lors se partent★ communement.	★séparent
	Une souris du plat païs	
	Les encontre et va demandant	
	Qu'on a fait. Lors vont respondant	
	Que leur ennemi seront mat★.	★tués
15	Sonnette avront au cou pendant :	
	« Qui pendra la sonnette au chat? »	
III.	« C'est le plus fort★ », dit un rat gris.	★difficile
	Elle demande saigement	
	Par qui sera cis fais★ fournis.	★action
20	Lors s'en va chascun excusant★ :	★se récusant
	Il n'i ot point d'executant,	
	S'en va leur besoigne de plat★.	★leur besoigne tombe à plat
	Bien fut dit, mais, au demourant,	
	« Qui pendra la sonnette au chat? »	

ENVOI

25 Prince, on conseille* bien souvent   *décide

Mais on peut dire, com le rat,

Du conseil qui sa fin ne prent :

« Qui pendra la sonnette au chat ? » **(6)**

III. COMMENT LE CHIEF ET LES MEMBRES DOIVENT AIMER L'UN L'AUTRE

BALLADE

Voici un nouveau sujet de fable, celui que La Fontaine traitera à son tour dans *les Membres et l'Estomac* (III, ii).

I. Angoisses sont a moy de toutes pars,

   Quant les membres voy au chief reveler*,   *se rebeller contre la tête

   Et le chief voy sortir divers* regars,   *hostiles

   Et qu'il convient l'un a l'autre mesler*,   *entrer en lutte

5 Le pere au fil, seignour son serf tuer,

   Ville gaster* et destruire païs   *dévaster

   Par le default* de raison regarder**,   *manque **avoir égard à

   Merveille n'est se* j'en suis esbahis**.   *si **surpris

II. Le chief ne doit des membres estre espars*,   *abandonné

10 Mais le doivent nourrir et gouverner;

   Le chief leur doit aprandre les doulz ars,

   Et cautement* sur ses membres regner;   *sagement

   Se ilz meffont*, il doit son droit garder,   *agissent mal

   Moiennement, puis qu'ilz se sont subgis*,   *soumis

15 Se lors les veult jusqu'a mort subjuguer,

   Merveille n'est se j'en suis esbahis.

───── QUESTIONS ─────

6. De quelle façon Eustache Deschamps renouvelle-t-il ici le sujet de la ballade ? Vous semble-t-il pourtant que la forme strophique de ce poème s'adapte aisément au récit de la fable ?

— Quelles sont les qualités d'Eustache Deschamps fabuliste ? Son récit est-il clair ? vivant ? pittoresque ? Ses animaux sont-ils habilement individualisés ?

— Comparez à cette fable le *Conseil tenu par les rats* de La Fontaine (livre II, fable ii).

III. Quant jambe et piet seront destruit et ars*,   *brûlés
    Que feront mains et bras, au paraler* ?   *à la fin du compte
    Ventre mourra, le chief pour mille mars*   *marcs (monnaie d'or)
20 Ne pourroit pas ses membres recouvrer;
    L'un sanz l'autre ne puet longues* durer.   *longtemps
    Qui saiges est sur ces poins ait avis,
    Car quant je voy sur ce pluseurs parler,
    Merveille n'est se j'en suis esbahis.

ENVOI

25 Princes, le chief doit ses membres amer*   *aimer
    Et contre droit ne les doit entamer*,   *nuire
    Et le chief doit d'eulx tous estre obeïs.
    S'il a besoing, ilz lui doivent aidier !
    Mais quant je voy chief et membres troubler,
30 Merveille n'est se j'en suis esbahis. (7)

IV. ÇA, DE L'ARGENT

BALLADE

    I. En une grant fourest et lee*   *agréable
    N'a gueres* que je cheminais,   *il n'y a guère
    Où j'ai mainte bête trouvée;
    Mais en un grand parc regardais.
5   Ours, lions et léopards voye,
    Loups et renards qui vont disant
    Au pauvre bétail qui s'effroye :
    « Çà, de l'argent; çà, de l'argent. »
    II. La brebis s'est agenouillée,
10   Qui a répondu comme coye*   *tranquille
    « J'ai été quatre fois plumée

QUESTIONS

7. Bien qu'Eustache Deschamps adapte ici à la ballade un apologue célèbre, a-t-on l'impression de lire une fable ? Comment le poète a-t-il composé son développement ? Comparez à ce poème *les Membres et l'Estomac*, de La Fontaine (livre III, fable II).

Cet an-ci; point n'ai de monnoye. »
Le bœuf et la vache se ploye.
Là se complaignait la jument.

15   Mais on leur répond toute voye* :   *de toute façon
« Çà, de l'argent; çà, de l'argent. »

III.   Où fut tele parole trouvée
De bêtes trop* me merveilloye.   *beaucoup
La chèvre dit lors : « Cette année
20   Nous fera moult petit* de joie;   *très peu
La moisson où je m'attendoye
Se détruit par ne sais quel gent;
Merci*, pour Dieu, et va ta boye** !   *pitié **ton chemin!
Çà, de l'argent; çà, de l'argent! »

25   IV.   La truie, lors désespérée,
Dit : « Il faut que truande soye*   *vagabonde, sans mo-
Et mes cochons; je n'ai denrée   ralité
Pour faire argent. — Vend de ta soye,
Dit le loup; car où que je soye
30   Le bétail faut* être indigent;   *doit
Jamais pitié de toi n'auroye
Çà, de l'argent; çà, de l'argent. »

V.   Quand cette raison* fut finée   *ce propos
Dont forment* ébahis** estoye   *fortement **étonné
35   Vint à moi une blanche fée
Qui au droit chemin me ravoye*,   *remet
En disant : « Si Dieu me doint joye,
Ces bêtes vont à court* souvent;   *la cour
S'ont ce mot retenu sans joye :
40   Çà, de l'argent; çà, de l'argent. » (8)

───────── QUESTIONS ─────────

8. Pourquoi cette ballade doit-elle être considérée plutôt comme un
conte que comme une fable ?
— L'univers animal de ce poème ne nous rappelle-t-il pas les traditions du *Roman de Renart* ? Montrez que la satire sociale rejoint aussi
le *Roman de Renart*.

V. PARIS

BALLADE

Voici maintenant une ballade d'inspiration toute différente. Son thème était destiné à faire fortune : « Il n'est bon bec que de Paris... » écrira Villon avec une joyeuse conviction. Ballade sans envoi.

I. Quant j'ay la terre et mer avironnee*,   *parcouru
Et visité en chascune partie
Jherusalem, Egipte et Galilée,
Alixandre*, Damas et la Surie,   *Alexandrie
5 Babiloine, le Caire et Tartarie,
      Et tous les pors qui y sont,
Les espices et succres qui s'y font,
Les fins draps d'or et soye du pays,
Valent trop mieulx* ce que les François ont :   *bien mieux
10 Riens ne se puet comparer a Paris.

II. C'est la cité sur toutes couronnée,
Fonteine et puis* de sens et de clergie** .   *puits **culture
Sur le fleuve de Saine située :
Vignes, bois a*, terres et praerie,   *elle a
15 De touz les biens de ceste mortel vie
      A plus qu'autres citez n'ont :
Tuit estrangier l'aiment et ameront.
Car, pour déduit* et pour estre jolis**,   *distraction **joyeux
Jamais cité tele ne trouveront :
20 Riens ne se puet comparer a Paris.

III. Mais elle est bien mieulx que ville fermee.*   *fortifiée
Et de chasteaulx de grant anceserie*,   *ancienneté
De gens d'onneur et de marchans peuplee;
De touz ouvriers d'armes, d'orfavrerie;
25 De touz les ars c'est la flour, quoy qu'on die :

Touz ouvraiges a droit* font;
Subtil engin*, entendement parfont**
Verrez avoir aux habitans toudis*;
Et loyaulté aux euvres qu'ilz feront :
30 Riens ne se puet comparer a Paris. **(9)**

*selon la bonne manière
*esprit **profond
*toujours

VI. LES VALETS RUSÉS

BALLADE

Voici une ballade sur un sujet familier et pittoresque.

I. Je croy que j'ay pour faire ce voyage
   Quatre varlez*, rusez et bien aprins**,
   Car sur les champs ne vont point en fourrage;
   Ils me veulent mener en paradis :
5 Qu'*a leur pouoir** me logeront toudis***
   En lieu seur, chastel ou bonne ville :
   La comptent hault, et ne leur chaut du pris*,
   Tant qu'il ne m'est demouré croix ne pille*.

*valets **stylés

*car **selon leur possibilité ***toujours

*peu leur importe le prix
*ni pile ni face

II. Et quant je di que ce n'est pas l'usaige
10 Et qu'ils deussent logier en play païs*
    Pour moins fraier*, pour avoir l'avantaige
    D'avoine et foing, buefs, vaches et brebis,
    Et pour partir sanz compter du logis,
    Ilz respondent : « Chose seroit trop vile. »

*en plaine
*dépenser

────── **QUESTIONS** ──────

9. Comment est composé ce poème? Analysez le contenu de chacune des strophes.

— Cet éloge de Paris n'est-il qu'un développement littéraire, attribuant à Paris les qualités qu'on pourrait trouver dans toute autre ville, ou correspond-il à des particularités réelles de la capitale?

— Connaissez-vous d'autres auteurs qui, après Eustache Deschamps, ont célébré Paris? Citez à ce sujet les textes que vous connaissez.

15 Tousjours s'en vont logier ou il a lis*.   *où il y a des lits
    Tant qu'il ne m'est demouré croix ne pille.

III. En moy* monstrant par gracieus langaige   *me
    Que d'estre au plat, les corps en valent pis
    Et les chevaulx, œufs n'y a* ne frommaige,   *il n'y a
20 Tout est retrait*, et s'en est on reprins**,   *disparu **tancé
    Pillars tenuz*, et pou ce m'ont aprins   *tenu pour pillard
    Que je seray prodoms* entre cent mille   *prud'homme
    D'ainsi logier : a Bapaume m'ont mis
    Tant qu'il ne m'est demouré croix ne pille.

                              ENVOI

25 Princes, je suis desja tous esbahis
    De mon argent : tout s'en va qui ne pille.
    Chevaux et gens m'ont rungié* jusqu'au pis**,   *rongé **poitrine
    Tant qu'il ne m'est demouré croix ne pille. (10)

VII. CHANT FUNÈBRE EN L'HONNEUR
DE DU GUESCLIN

Ailleurs, la ballade sert à immortaliser un grand nom : Charles V
vient de faire enterrer Du Guesclin dans la sépulture des rois à Saint-
Denis. Deschamps exprime la tristesse de la France entière, qui vient
d'apprendre la mort du connétable (1380).

I. Estoc* d'honneur et arbre de vaillance,   *tronc
    Cœur de lion épris de hardement*,   *hardiesse
    La fleur des preux et la gloire de France,
    Victorieux et hardi combattant,
5   Sage en vos faits* et bien entreprenant,   *actes
        Souverain homme de guerre,
    Vainqueur de gens et conquéreur de terre,

─── **QUESTIONS** ───

10. Quels renseignements ce poème nous donne-t-il sur les conditions
d'un voyage à la fin du Moyen Age ?
— D'où vient l'humour de ce récit ? Relevez les expressions et les
tournures qui nous font sourire.

Le plus vaillant qui onques* fust en vie,   *jamais
Chacun pour vous doit noir vestir et querre* ;   *chercher
10   Pleurez, pleurez, fleur de chevalerie.

II.   O Bretagne, pleure ton espérance,
Normandie, fais son enterrement,
Guyenne aussi, et Auvergne or t'avance*,   *maintenant avance-toi
Et Languedoc, quier* lui son monument.   *cherche
15   Picardie, Champagne et Occident
Doivent pour pleurer acquerre
Tragédiens, Aréthusa[1] requerre
Qui en eaue fut par pleur convertie*,   *changée
Afin qu'à tous de sa mort le cœur serre :
20   Pleurez, pleurez, fleur de chevalerie.

III.   Hé ! gens d'armes, ayez en remembrance*   *souvenir
Votre père — vous étiez ses enfants —,
Le bon Bertrand, qui tant eut de puissance,
Qui vous aimait si amoureusement ;
25   Guesclin priait : priez dévotement
Qu'il puist* paradis conquerre   *puisse
Qui deuil n'en fait et qui ne prie, il erre*,   *se trompe
Car du monde est la lumière faillie* :   *éteinte
De tout honneur était la droite serre* :   *protection
30   Pleurez, pleurez, fleur de chevalerie. (11)

1. *Aréthusa* : allusion à une légende antique que le poète a sans doute lue dans les *Métamorphoses* d'Ovide. Aréthuse était une nymphe, qui, poursuivie par le dieu du fleuve Alphée, fut transformée en source par la déesse Artémise.

──────── QUESTIONS ────────

11. Étudiez le vocabulaire employé pour faire l'éloge du héros ; relevez tous les termes « nobles ».

— D'après ce que vous savez de l'histoire de Du Guesclin, le connétable possédait-il toutes les qualités que lui prête le poète ? Que reste-t-il, néanmoins, de conventionnel dans un tel poème ?

— Comment s'exprime ici le sentiment patriotique ?

— Comparez ce poème au *Ditié de Jeanne d'Arc*, de Christine de Pisan (p. 106).

VIII. CONSEILS À UN AMI SUR LE MARIAGE

BALLADE

Eustache Deschamps préparait un recueil satirique qu'il voulait appeler *Miroir de mariage*, lorsqu'il mourut. Il est probable que « moralités », grivoiseries, anecdotes plus ou moins colorées s'y mêlaient. La ballade suivante devait faire partie de ce recueil. Le poème revêt une forme dialoguée qui en fait une petite comédie.

I. « A l'huis*. — Qui est? — Ami. — Que veuls?   *à la porte! (ouvrez!)
— Conseil. — De quoi? — De mariage.
Marier veuil. — Pourquoi de deuls*?   *de quoi te soucies-tu?
— Pour ce que n'ai femme en ménage
5 Qui gouvernast et qui fust sage,
Bonne, belle et humble tenue,
Riche, jeune et de haut parage*.   *de haute naissance
— Tu es fou : prends une massue[1].

II. Avise si souffrir t'en peux :
10 Femme est de merveilleux courage*.   *la femme a un caractère étonnant
Quand tu voudras avoir des œufs,
Tu auras porée* ou fromage.   *poireau
Tu es franc*, tu prendras servage.   *libre
Hom qui se marie se tue.
15 Avise bien. — Si le ferai-je.
— Tu es fou : prends une massue.

III. Femme n'auras pas à ton eulx*,   *à ton gré
Mais diverse* et de dur langage.   *changeante
Adonc te croitera* tes deuls** :   *croîtra **chagrin
20 Souffrir ne pourras son outrage*.   *ses excès
Va vivre avant* en un bocage   *plutôt
Que marier com bête mue*.   *muette
— Non, avoir veuil la douce image*.   *créature
— Tu es fou : prends une massue.

---

1. *Massue* : ici, synonyme de *marotte*, figurine grotesque qui servait de sceptre aux fous de cour et qui était l'attribut de la Folie.

ENVOI.

25 Fils, tu feras folie et rage
    De marier. Aime en ta vie
    Franchement*. — D'avoir femme enrage.   *librement
    — Tu es fou : prends une massue. » **(12)**

IX. REMERCIEMENT POUR UN CADEAU

VIRELAI

Parmi les genres à forme fixe qui furent en faveur dans la poésie
du XIVᵉ et du XVᵉ siècle, il ne faut pas négliger le virelai, primitivement
vireli, altéré ensuite en *virelai*, sous l'influence de *lai*. C'est à l'origine
une chanson de danse comprenant un refrain au début et un couplet à
la fin. Mais ce type élémentaire a été souvent modifié au XIVᵉ siècle.
Soucieux de complication, Deschamps donne au virelai deux couplets,
sur les mêmes rimes que le refrain. Le refrain, de trois vers, est intégra-
lement répété après le premier couplet, mais il est réduit à deux à la
fin du deuxième.

```
    1. Dame, je vous remercy
          Et gracy*                       *rends grâce
       De cuer, de corps, de pensee,
       De l'anvoy qui tant m'agree
5             Que je dy
       C'onques plus biau don ne vi
       Faire a creature nee,
       Plus plaisant ne plus joly,
             Ne qui sy*                   *si (ainsi)
10     M'ait ma leesce* doublee,         *joie (liesse)
       Car du tout m'a assevi*,           *satisfait
             Et ravi
       En l'amoureuse contree;
       Je le porte avecques my
15           Con cellui
```

─────────── **QUESTIONS** ───────────

12. Quelle forme et quel ton prend ici la ballade ?
— Les critiques formulées ici contre le mariage sont-elles nouvelles ?
A quelle tradition de la littérature médiévale se rattachent-elles ?

Qui m'a joye recouvree
Et si m'a renouvellee
    M'amour, qui
Mancoit par rappors haÿ*   *par suite de propos
20   Et par fausse renommee.   mensongers
Dame, je vous remercy
    Et gracy
De cuer, de cors, de pensee.

II. Long temps a mon cuer gemy
25   Et fremy
En doleur desesperee,
En tristesse et en soucy
    Jusqu'a cy
Que Pitez* est devalee**,   *pitié **arrivée en des-
30   Qui a des loyaulx mercy.   cendant
    Or li pry
Que ne croye a la volee*   *témérairement, sans y
Fausse langue envenimee,   réfléchir
    Car par lui
35   Sont maint loyal cuer trahy :
De mal feu soit embrasee!
Dame je vous remercy
    Et gracy. **(13)**

X. PLAINTES D'AMOUREUX
RONDEAU

Le *rondeau* ou *rondel* est aussi pratiqué par Eustache Deschamps;
composé de trois couplets sur deux rimes avec des vers formant refrain,
ce poème développe la forme primitive du rondeau, tel qu'il était
pratiqué par Guillaume de Machaut (voir page 79). Celui qu'on va lire
traite d'un vieux thème, devenu lieu commun de l'amour courtois dès
le XIIIe siècle, l' « amour malheureux ». Deschamps le traite d'une manière

─────── **QUESTIONS** ───────

13. Le contenu de ce virelai est-il riche et original? Montrez que
tout l'intérêt du poème réside plutôt dans la prosodie (rythmes et rimes).

particulièrement précieuse. Il fait de ce qui devait être de l'inspiration pure, spontanée, une véritable poésie savante. Pas de souffle puissant, ni de larges mouvements d'éloquence, ni d'expression d'une passion déchirante, mais de la sincérité retenue, de l'élégance, du raffinement. Il y a évidemment là une influence du *Roman de la Rose*.

I. Nul hom ne peut souffrir plus de tourment
Que j'ay pour vous, chère dame honoree,
Qui chaque jour estes en ma pensee.

II. Se* il vous plait, je vous dirai comment   *si
5 Car loin de vous ay vie desperee* :   *désespérée
Nul hom ne peut souffrir plus de tourment
Que j'ay pour vous, chère dame honoree.

III. Mais Faux-Rapport[1] vous a dit faussement
Que j'aim ailleurs ; c'est faussete prouvee ;
10 Je n'aim fors* vous, et sachez, belle nee**,   *excepté, sinon **créature
Nul hom ne peut souffrir plus de tourment
Que j'ay pour vous, chère dame honoree,
Qui chaque jour estes en ma pensee. (**14**)

CHRISTINE DE PISAN

Christine de Pisan (1364-1430) est un des écrivains les plus féconds de son temps. Fille de Thomas de Pisan, naturaliste, astrologue et philosophe, elle épousa Étienne de Castel, notaire royal, qui mourut prématurément en 1389. En proie à de lourds embarras financiers, elle se mit

---

1. *Faux-Rapport* : personnage allégorique dans la tradition du *Roman de la Rose*.

--- **QUESTIONS** ---

14. Relevez dans ce court poème les thèmes traditionnels de la poésie courtoise.

— Comparez la versification de ce rondeau aux rondeaux de Guillaume de Machaut, page 79.

CHRISTINE DE PISAN
Miniature du xvᵉ siècle.

Phot. Larousse.

CHRISTINE DE PISAN CHEZ ISABEAU DE BAVIÈRE
Miniature du XVᵉ siècle.

à écrire pour vivre. Prose et vers, sa production est des plus variées. Poète lyrique, elle a subi l'influence de Guillaume de Machaut et d'Eustache Deschamps; comme eux, elle cultive les genres à forme fixe, ballades, virelais et rondeaux. Plus intelligente que sensible, elle s'entend mieux à combiner les rythmes qu'à renouveler les thèmes habituels. Comme ses maîtres, elle chante les joies et les peines de l'amour, moralise, non sans lourdeur, à grand renfort d'allusions mythologiques. Elle ne parvient guère à nous émouvoir que lorsqu'elle évoque avec quelque sincérité les tourments de son veuvage. On trouvera, dans *la Littérature morale au Moyen Age*, d'autres œuvres de Christine de Pisan.

I. BALLADE

1.	Quand je voy ces amoreux	
	Tant de si doulz semblans* faire	*douces mines
	L'un a l'autre et savoreux	
	Et doulz regars entretraire*,	*échanger
5	Liement* rire et eulx traire	*joyeusement
	A part, et les tours qu'il font,	
	A pou que* mon cuer ne font**!	*peu s'en faut que **fonde

II.	Car lors me souvient, pour eulx,	
	De cil dont ne puis retraire*	*éloigner
10	Mon cuer qui est desireux	
	Qu'ainsi le peüsse attraire;	
	Mais le doulz et debonnaire	
	Est loings, dont en dueil parfont*	. *profond
	A pou que mon cuer ne font!	

III.	Ainsi sera langoreux	
	Mon cuer en ce grief * contraire**	*grave **adversité
	Plein de souspirs douleureux	
	Jusques par deça* repaire**	*ici **revienne
	Cil qu'Amours me fait tant plaire;	
20	Mais du mal qui me confont	
	A pou que mon cuer ne font!	

ENVOI

Princes, je ne me puis taire

Quant je voy gent paire a paire*   *deux par deux
Qui en joye se reffont*,   *réconfortent
25   A pou que mon cuer ne font. (**15**)

II. LES DOUCEURS DU MARIAGE

BALLADE

Cet éloge de l'amour platonique dans le mariage est un thème traditionnel de l'amour courtois, auquel se mêle sans doute ici un souvenir
personnel.

I.   Douce chose est que mariage;
        Je le puis bien par moi* prouver;   *par mon exemple
        Voire* à qui mari bon et sage   *même
        A, comme Dieu m'a fait trouver.
5   Loué en soit-il, qui sauver
        Le me veuille! car son grand bien*,   *bonté
        De fait, je puis bien éprouver
        Et certes, le Doux m'aime bien!

II.   La première nuit de ménage
10   Très lors poz-je bien éprouver
        Son grand bien, car oncques* outrage   *jamais
        Ne me fit dont me dus grever*.   *plaindre
        Mais, ains qu'*il fut temps de lever   *avant que
        Cent fois baisa, si comm' je tien*,   *ainsi qu'il me plaît
15   Sans vilenie* autre rouver**;   *indignité **dérober
        Et certes le Doux m'aime bien!

III.   Et disait par si doux langage :
        « Dieu m'a fait à vous arriver,

──────── QUESTIONS ────────

15. Est-ce un thème nouveau que développe ici Christine de Pisan?
Quel est ce thème?

— La sensibilité féminine donne-t-elle une résonance particulière au
thème de la séparation? Cherchez, dans le présent recueil, d'autres
poèmes écrits sur le même sujet par des troubadours ou des trouvères
et faites la comparaison.

Douce amie, et pour votre usage
20 Je crois qu'il me fit élever*. »   *grandir
Ainsi fina il de rêver;
Toute nuit en si fit maintien*,   *ainsi se comporta-t-il
Sans autrement soi dériver*;   *s'écarter
Et certes le Doux m'aime bien!

ENVOI

25 Princes, d'amour me fait desver*,   *perdre la tête
Quand il me dit qu'il est tout mien.
De douceur me fera crever*;   *mourir
Et certes le Doux m'aime bien! (16)

III. BALLADE DU DOUX AMI

Thème voisin de celui du poème précédent; même exaltation; même dévotion.

1. Tant avez fait par votre grant doulcour*,   *douceur
   Mon doux ami, que vous m'avez conquise!
   Plus n'y convient complainte* ni clamour**,   *lamentation **protes-
   Jà* n'y aura par moi defense mise.   tation
                                                        *jamais
5 Amour le veut, par sa douce maistrise,
   Et moi aussi le veux; car, se m'oit Dieux*,   *Dieu m'entende!
   Au fort* c'était foleur** quand je m'avise   *après tout **folie
   De refuser ami si gracieux.

11. Et j'ai l'espoir qu'il a* tant de valour   *qu'il y a
10 En vous que bien sera m'amour assise;
   Quant de beauté, de grace et tout honneur
   Il y a tant que c'est droit* qu'il seuffise.   *c'est justice

---

QUESTIONS

16. Cet éloge de l'amour-dévotion est-il dans la tradition courtoise? L'amour courtois peut-il toutefois se réaliser pleinement dans le mariage?
— En célébrant le parfait amour dans le mariage, Christine de Pisan ne défend-elle pas le mariage contre les railleries communes dans la littérature bourgeoise (voir page 93, *Conseils à un ami sur le mariage*, d'Eustache Deschamps)?

Si est bien droit que sur tous vous elise,
Car vous estes bien digne d'avoir mieux;
15 Si ai eu tort quand tant m'avez requise,
De refuser ami si gracieux.

III. Si vous retiens et vous donne m'amour,
Mon fin cuer doux et vous pri que feintise*   *dissimulation
Ne trouve en vous, ni nul autre faux tour,
20 Car toute m'a entierement acquise,
Vo* douz maintien, vo maniere rassise**,   *votre **digne
Et voz très doux amoureux et beaux yeux;
Si auroye grand tort, en toute guise*,   *de toute manière
De refuser ami si gracieux.

ENVOI

25 Mon doux ami, que j'aim sur tous et prise,
J'ois tant de bien de vous dire en tous lieux,
Que par Raison devroye estre reprise*   *blâmée
De refuser ami si gracieux. (**17**)

IV. SOLITUDE
BALLADE

Ce poème fait évidemment allusion au veuvage de Christine de Pisan.

I. Seulete sui et seulete vueil estre,
Seulete m'a mon douz ami laissiee;
Seulete sui, sanz compaignon ne maistre*,   *mari
Seulete sui, dolente et courroucie*,   *chagrinée
5 Seulete sui, en langueur mesaisiee*,   *mal à l'aise
Seulete sui, plus que nulle esgaree*,   *perdue, désorientée
Seulete sui, sanz ami demouree.

II. Seulete sui a uis* ou a fenestre,   *porte
Seulete sui en un anglet muciee*,   *cachée

───────── QUESTIONS ─────────

17. Comment cette ballade complète-t-elle la précédente? Ne constitue-t-elle pas une sorte de réplique à ce poème?

10 Seulete sui pour moi de pleurs repaistre,
   Seulete sui, dolente ou apaisiee;
   Seulete sui, riens n'est qui tant messiee★;   ★déplaît
   Seulete sui en ma chambre enserree★,   ★enfermée à l'étroit
   Seulete sui, sanz ami demouree.

III. Seulete sui partout et en tout estre★;   ★lieu
   Seulete sui, ou je voise ou je siee★;   ★que je marche ou reste assise
   Seulete sui plus qu'autre riens★ terrestre,   ★chose
   Seulete sui, de chascun delaissiee,
   Seulete sui, durement abaissiee,
20 Seulete sui, souvent toute esplouree,
   Seulete sui, sanz ami demouree.

ENVOI

   Princes, or est ma douleur commenciee :
   Seulete sui, de tout dueil★ menaciee,   ★chagrin
   Seulete sui, plus teinte★ que moree[1] :   ★sombre
25 Seulete sui, sanz ami demouree. (**18**)

V. BALLADE DE LA MALADIE

Ailleurs, ce sont les réflexions inspirées par l'isolement : atteinte de paludisme, Christine de Pisan doit parfois surmonter de pénibles crises. Elle dit sa souffrance, et de là naît une poésie directe et originale.

   I. Hé Dieu, que le temps m'ennuie!
      Un jour m'est une semaine;
      Plus qu'en hiver longue pluie,

---

1. *Moree* (même racine que *more* ou *maure*) : brun foncé, d'une teinte presque noire. L'expression est évidemment prise au figuré.

———— **QUESTIONS** ————

18. Parmi tous les aspects de la solitude énumérés ici, quelles sont les images qui vous semblent directement vécues, quelles sont celles qui sont plus conventionnelles?
— Étudiez la forme de ce poème (les répétitions, les rimes). Les procédés utilisés contribuent-ils à accroître l'émotion?

M'est cette saison grevaine*,   *pénible
5 Héla! car j'ai la quartaine*   *fièvre quarte
Qui me rend toute étourdie
Souvent et de trestour* pleine :   *tourment
Ce me fait la maladie.

II. J'ay goût plus amer que suie
10   En couleur pâle et malsaine.
Pour* la toux faut que m'appuie   *à cause de
Souvent et me faut l'haleine* :   *l'haleine me manque
Et quant l'accès me demaine*   *m'agite
A donc ne suis tant hardie*   *forte
15   Que je boive que* tisaine;   *autre chose que
Ce me fait la maladie.

III. Je n'ai garde que m'enfuie*,   *je n'ai garde de sortir
Car, quand je vais c'est à peine,
Non pas l'ere d'une luie* :   *l'espace d'une lieue
20   Mais par une chambre pleine,
Encor convient* qu'on me mene,   *encore faut-il
E souvent faut que je die :
« Soutenez-moi, je suis vaine*. »   *sans force
Ce me fait la maladie.

ENVOI

25 Médecins, de mal suis pleine.
Guérissez-moi, je mendie
De santé qui m'est lointaine :
Ce me fait la maladie. (19)

───── QUESTIONS ─────

19. Relevez les détails réalistes et familiers dans la description de la maladie.

— Quel accent prend ici la poésie personnelle?

— Quels sentiments éprouve-t-on en lisant ce poème? Quel effet produit la répétition du vers « Ce me fait la maladie »?

VI. DITS MORAUX À SON FILS

Femme amoureuse, veuve inconsolée, elle fut aussi mère vigilante, comme le prouvent ces conseils à son fils.

I. Fils, je n'ai mie* grand trésor   *pas
   Pour t'enrichir, mais, au lieu d'or,
   Aucuns enseignements montrer
   Te veux, si les vueilles noter.

II. Si pays as à gouverner,
   Et longuement tu veux regner,
   Tiens justice et cruel ne soies,
   Ni de grever* gens ne quiers** voies***.   *accabler **recherche
                                        ***moyens

III. Ayes pitié des pauvres gens
10 Que tu vois nus et indigents,
   Et leur aides quant tu pourras!
   Souvienne toi que tu mourras.

IV. Aimes qui te tient pour ami
   Et te gard' de ton ennemi :
15 Nul ne peut avoir trop d'amis,
   Il n'est nuls petits ennemis.

V. Ne laisses pas que* Dieu servir   *ne manque pas de
   Pour au monde trop asservir* :   *trop sacrifier au siècle
   Car biens mondains vont à desfin*   *sont destinés à finir
20 Et l'âme durera sans fin. **(20)**

───── **QUESTIONS** ─────

20. Dans quelle mesure ces conseils reflètent-ils la personnalité de Christine de Pisan ?
— L'idéal du gentilhomme chrétien au XIV⁰ siècle.

VII. RONDEAU

Ce rondeau comporte, lui aussi, une allusion au veuvage de Christine.

1. Je ne sçay comment je dure,
   Car mon dolent cuer font* d'yre**   *fond **chagrin
   Et plaindre n'oze, ne dire
   Ma doleureuse aventure,

5   II. Ma dolente vie obscure*.   *sombre, triste
    Riens, fors la mort ne desire;
    Je ne sçay comment je dure.

    III. Et me fault, par couverture*,   *en dissimulant
    Chanter que* mon cuer soupire   *ce que
10 Et faire semblant de rire;
    Mais Dieux sçait ce que j'endure.
    Je ne sçay comment je dure. (**21**)

VIII. DITIÉ DE JEANNE D'ARC

Ce *ditié* date de juillet 1429. Orléans vient d'être libéré, et le roi Charles VII, sacré à Reims. Christine se réjouit d'abord en tant que Française d'adoption, qui hait l'occupant; ensuite, en tant que catholique fervente; enfin, en tant que poète féministe : elle avait été ulcérée des satires de Jean de Meung contre les femmes. Que la France ait été libérée grâce à une jeune fille l'enchante : avec quel lyrisme elle exalte la Pucelle!

1. Je, Christine, qui ay plouré
   Unze ans en abbayë close,
   Ou j'ay tousjours pui* demouré   *depuis
   Que Charles (c'est estrange* chose)   *inouïe

──────── QUESTIONS ────────

21. Quel accent de sincérité se mêle ici à un thème traditionnel?
— Étudiez la forme de ce rondeau en la comparant aux rondeaux de Guillaume de Machaut (p. 79) et d'Eustache Deschamps (p. 95).

5 Le filz du Roy, se★ dire l'ose,   ★si
 S'en fouy★ de Paris de tire★★,   ★s'enfuit ★★subitement
 Par★ la traïson la enclose,   ★du fait de
 Ore a prime★ me prens à rire.   ★pour la première fois

[. . . . .]

III. L'an mil quatre cens vingt et neuf
 Reprint a★ luire li soleil;   ★se reprit à
 Il ramene le bon temps neuf
20 Que on n'avaist veu du droit œil★   ★en face
 Puis★ longtemps; dont plusieurs en deuil   ★depuis
 Orent vesqui★. J'en suis de ceulx;   ★eurent vécu
 Mais plus de rien je ne me deuil★,   ★je ne m'attriste
 Quant ores voy ce que je veulx★.   ★souhaite

[. . . . .]

XXXII. Et sa belle vie, par foy,
250 Monstre qu'elle est de Dieu en grace★,   ★en grâce auprès de Dieu
 Par quoy on adjouste plus foy
 A son fait : car quoy qu'elle face,
 Toujours a Dieu devant la face,
 Qu'elle appelle★, sert et deprie★★.   ★invoque ★★supplie
255 En fait, en dit, ne va en place★   ★en lieu
 Ou sa dévotion detrie★.   ★où elle doive contenir sa dévotion

XXXIII. O! comment lors bien y paru
 Quant le siege ert★ devant Orleans   ★était
 Ou premier★ sa force apparu!   ★pour la première fois
260 Onc★ miracle, si com je tiens★★,   ★jamais ★★ainsi que je pense
 Ne fut plus cler; car Dieu aux siens
 Aida telement q'ennemis
 Ne s'aiderent plus que mors chiens;
 La furent prins et a mort mis.

[. . . . .]

xxxv. Une fillette de seize ans!
N'est ce pas chose fors nature* ?   *hors nature, surnaturelle
275 A qui armes ne sont pesans*,   *lourdes
Ains* semble que sa norriture**   *mais **formation
Y soit, tant y est fort* et dure** ;   *robuste **résistante
Et devant elle vont fuyant
Les ennemis, ne nul n'y dure* ;   *résiste
280 Elle fait ce, mains yeulx voiant*,   *sous les regards de nombreux

xxxvi. Et d'eulx va France descombrant*   *débarrassant
En recouvrant chasteaulx et villes ;
Jamais force ne fut si grant,
Soient ou a cens ou a miles,
285 Et de noz gens preux et abiles
Elle est principal chevetaine* ;   *capitaine
Tel force n'ot Hector, ne Achilles,
Mais tout ce fait Dieu qui la menne*. **(22)**   *mène

CHARLES D'ORLÉANS

Fils de Louis d'Orléans et de Valentine Visconti, le duc Charles d'Orléans naquit à Paris, en 1394. Chef du parti armagnac après l'assassinat de son père, en 1407, il épousa Bonne d'Armagnac (1410) ; il prit part à la bataille d'Azincourt, où il fut fait prisonnier par les Anglais ; il le demeura jusqu'en 1441. C'est au cours de sa captivité qu'il apprit la mort de sa femme (1435). Libéré grâce à l'appui des Bourguignons et contre une énorme rançon, il se remaria avec Marie de

--- **QUESTIONS** ---

22. Si on tient compte de la date où fut écrit ce poème, montrez qu'il est un important témoignage sur l'état d'esprit qui régnait en France au moment même des victoires de Jeanne d'Arc. Quelle image se fait-on déjà de Jeanne d'Arc ?

— Quel est le ton de ce poème ? Relevez les expressions qui montrent l'intention de convaincre plutôt que le souci de raconter. N'y a-t-il pas cependant quelques procédés empruntés à la poésie épique ?

— Connaissez-vous, dans les littératures française et étrangères, d'autres œuvres qui ont, par la suite, été inspirées par Jeanne d'Arc ?

Phot. Larousse.

DEUX SCÈNES DE LA VIE DE JEANNE D'ARC : ELLE DÉCIDE CHARLES VII
À ATTAQUER TROYES (EN HAUT). ELLE COMBAT DEVANT PARIS (EN BAS).

Extraits des *Vigiles de Charles VII*.

Enluminure d'un manuscrit de l'« Epître d'Othia à Hector »,
par Christine de Pisan. (Bibl. nat., Manuscrits français, fol. 35.)

ALLÉGORIE DES SENTIMENTS COURTOIS :
HÉLÈNE ET PÂRIS OU LE CHEVALIER ET SA DAME

Clèves, tenta de se mêler de nouveau à la politique, mais se décida bientôt à vivre dans la retraite. Il résidait surtout dans ses châteaux de Blois et de Tours; il mourut à Amboise en 1465. Si son activité politique fut assez mince, il consacra le meilleur de son temps à la littérature. Aimable et généreux, il accueillait volontiers les écrivains et les artistes. Son œuvre, composée de poésies légères, ballades, rondeaux, complaintes amoureuses, évoque, avec une grâce un peu maniérée, le charme des saisons, l'attrait de la vie, malgré ses déboires, le plaisir d'aimer, le regret de vieillir. Fort goûtées de ses contemporains, les poésies de Charles d'Orléans furent éditées pour la première fois par Clément Marot, sur l'ordre de François Ier.

I. EN REGARDANT VERS LE PAYS DE FRANCE

BALLADE

Cette ballade a été écrite pendant les pourparlers de paix entre Charles VII et les Anglais. Charles d'Orléans était partisan de la paix à tout prix.

I. En regardant vers le païs de France,
   Un jour m'avint, a Dovre* sur la mer,   *Douvres
   Qu'il me souvint de la doulce plaisance
   Que souloye* oudit pays trouver;   *j'avais coutume
5   Si commençay de cueur a souspirer,
   Combien certes que* grant bien me faisoit   *quoique
   De voir France que mon cueur amer doit.

II. Je m'avisay que c'estoit non savance*   *faute de sagesse
   De telz souspirs dedens mon cuer garder,
10   Veu que je voy que la voye commence
   De bonne paix, qui tous biens peut donner;
   Pour ce, tournay en confort* mon penser.   *en réconfort
   Mais non pourtant mon cueur ne se lassoit
   De voir France que mon cueur amer doit.

15 III. Alors chargay en la nef d'Esperance
   Tous mes souhaitz, en leur priant d'aler
   Oultre la mer, sans faire demourance*,   *sans prendre de retard
   Et a France de me recommander.
   Or nous doint* Dieu bonne paix sans tarder!   *donne (subj.)

20 Adonc auray loisir, mais qu'ainsi soit,
  De voir France que mon cueur amer doit.

ENVOI

Paix est tresor qu'on ne peut trop loer.
Je hé* guerre, point ne la doy prisier;   *hais
Destourbé* m'a long temps, soit tort ou droit,   *empêché
25 De voir France que mon cueur amer doit! (23)

II. EN LA FORÊT DE LONGUE ATTENTE

BALLADE

Ce poème, aux allégories savantes et souvent obscures, est dans la
tradition du *Roman de la Rose*, mais rappelle aussi le *trobar clus* de
certains troubadours provençaux (voir tome I, page 15).

1. En la forest de Longue Actente*   *attente
   Chevauchant par divers sentiers
   M'en voys*, ceste annee presente,   *vais
   Ou voyage de Desiriers.
5 Devant sont allez mes fourriers
   Pour appareillier* mon logeis**   *préparer **logis
   En la cité de Destinee;
   Et pour mon cueur et moy ont pris
   L'ostellerie de Pensee.

11. Je mayne des chevaulx quarente
    Et autant pour mes officiers,
    Voire, par Dieu, plus de soixante,

───── QUESTIONS ─────

23. Rappelez les circonstances dans lesquelles fut écrit ce poème.
— Montrez comment à chaque strophe correspond une idée ou un
sentiment.
— Quel effet produit le dernier vers de chaque strophe ?
— Ce thème nostalgique sera repris très fréquemment au cours de
notre histoire littéraire : citez quelques grands noms. Comparez en
particulier à ce poème ceux que Du Bellay a écrits sur le même sujet
dans *les Regrets*.

Sans les bagaiges et sommiers*.　　　*bêtes de somme
Loger nous fauldra par quartiers,

15　Se les hostelz sont trop petis;
Toutesfoiz, pour une vespree,
En gré prendray, soit mieulx ou pis,
L'ostellerie de Pensee.

III. Je despens chascun jour ma rente

20　En maintz travaulx avanturiers,
Dont est Fortune mal contente
Qui soutient contre moy Dangiers;
Mais Espoirs, s'ilz sont droicturiers*　　*légitimes
Et tiennent ce qu'ils m'ont promis,

25　Je pense faire telle armee
Qu'auray, malgré mes ennemis,
L'ostellerie de Pensee.

ENVOI

Prince, vray Dieu de paradis,
Vostre grace me soit donnee,

30　Telle que treuve, a mon devis*,　　　*service
L'ostellerie de Pensee. **(24)**

III. POURQUOI M'AS-TU VENDU, JEUNESSE?

BALLADE

Cette ballade exploite elle aussi l'allégorie, mais d'une manière moins savante que dans le poème précédent.

I. Pourquoy m'as-tu vendu, Jeunesse,
A grant marchié, comme pour rien,
Es mains de ma Dame Viellesse
Qui ne me fait gueres de bien?

──────── QUESTIONS ────────

24. Relevez les allégories, en essayant de découvrir le sens de chacune d'elles.

5   A* elle peu tenu me tien,   *envers
      Mais il convient que je l'endure,
      Puis que c'est le cours de nature.

II. Son hostel de noir de Tristesse
      Est tandu; quant dedans je vien,
10   G'y voy l'istoire de Destresse
      Qui me fait changer mon maintien
      Quant la ly, et maint mal soustien;
      Espargnee n'est creature,
      Puis que c'est le cours de nature.

III. Prenant en gré ceste rudesse,
      Le mal d'aultruy compare au myen;
      Lors me tance Dame Sagesse,
      Adoncques* en moy je revien,   *alors
      Et croy de tout le conseil sien
20   Qui est en ce plain de droiture,
      Puis que c'est le cours de nature.

ENVOI

      Dire ne saroye combien
      Dedans mon cueur mal je retien,
      Serré d'une vielle sainture,
25   Puis que c'est le cours de nature. (**25**)

IV. ENCORE EST VIVE LA SOURIS

BALLADE

Cette ballade constitue une ironique réponse du poète à de charitables âmes qui avaient fait courir le bruit de sa mort.

I. Nouvelles ont couru en France,
      Par maints lieux, que j'estoye mort;

─────── QUESTIONS ───────

25. Comment ce poème s'éclaire-t-il par le précédent et par ce que nous savons des circonstances dans lesquelles il a été composé?

CHARLES D'ORLÉANS PRISONNIER
DANS LA TOUR DE LONDRES
British Museum.

Phot. Giraudon.

LES NEUF MUSES

Miniature du XVe siècle.

Dont* avaient peu de déplaisance   *à la suite de quoi
Aucuns* qui me hayent** à tort;   *quelques-uns
                                            **haïssent
5   Autres en ont eu desconfort*,   *tristesse
Qui m'aiment de royal vouloir,
Comme mes bons et vrais amis.
Si fais* à toutes gens savoir   *aussi fais-je
Qu'encore est vive la souris.

  II. Je n'ai eu ni mal ni grevance*,   *maladie
Dieu merci, mais suis sain et fort,
Et passe temps en esperance
Que Paix, qui trop longuement dort,
S'eveillera, et par Accort
15   A tous fera liesse avoir,
Pource, de Dieu soyent maudits
Ceux qui sont dolents de veoir
Qu'encore est vive la souris.

  III. Jeunesse sur moi a puissance,
20   Mais Vieillesse fait son effort
De m'avoir en sa gouvernance.
A present faillira son sort*,   *pour le moment elle échouera
Je suis assez loin de son port,
De pleurer veux garder mon hoir*;   *héritier
Loué soit Dieu de Paradis,
25   Qui m'a donné force et pouvoir,
Qu'encore est vive la souris.

ENVOI

Nul ne porte* pour moi le noir,   *que nul ne porte
On vent meilleur marché drap gris;
30   Or tienne chacun pour tout voir*,   *très vrai
Qu'encore est vive la souris. (26)

QUESTIONS

---

26. Les allégories sont ici de véritables personnages qui jouent leur rôle dans la vie du poète : montrez-le.

V. JE MEURS DE SOIF

BALLADE

Ici, l'image de la fontaine amène un savant développement sur les contradictions qui dominent sa destinée et son caractère.

	I.	Je meurs de soif, en cousté la fontaine;	
		Tremblant de froid au feu des amoureux;	
		Aveugle suis, et si* les autres mène;	*pourtant
		Pauvre de sens, entre saichans*, l'un d'eux;	*savants
5		Trop négligent, en vain souvent soigneux;	
		C'est de mon fait une chose faiée*,	*extraordinaire
		En bien et mal par fortune menée.	

	II.	Je gagne temps, et perds mainte semaine;	
		Je joue et ris, quand me sens douloureux;	
10		Déplaisance j'ai d'esperance pleine;	
		J'attends bonheur en regret angoisseux;	
		Rien ne me plaît, et je suis dézireux;	
		Je m'esjouis, et cource* à ma pensée,	*m'irrite
		En bien et mal par fortune menee.	

	III.	Je parle trop, et me tais à grand peine;	
		Je m'esbahis et je suis courageux;	
		Tristesse tien mon confort en demaine*,	*esclavage
		Faillir ne puis, au moins à l'un des deux;	
		Bonne chère je fais quand je me deulx*;	*m'attriste
20		Maladie m'est en santé donnée	
		En bien et mal par fortune menee.	

ENVOI

	Prince, je dis que mon fait malheureux
	Et mon profit aussi avantageux
	Sur un hasard j'asserrai quelque année,
25	En bien et mal par fortune menée. **(27)**

QUESTIONS

27. Cette ballade est-elle un jeu de l'esprit ou vous semble-t-elle être une confidence sincère du poète sur son propre caractère?

VI. LA LOUANGE DE SA DAME

BALLADE

Dans la ballade qui suit, c'est une véritable dévotion qui s'exprime, mais avec une extrême retenue et de telle manière qu'aucune expression ne puisse trahir le secret. Nous sommes en présence d'une forme d'art extrêmement évoluée. Il est évident qu'il y a plusieurs interprétations possibles de ce poème. C'est un message que seule une élite d'initiés pouvait apprécier.

I. Fraîche beauté, tres riche de jeunesse,
Riant regard trait* amoureusement,   *dessiné
Plaisant parler, gouverné par sagesse,
Port feminin en corps bien fait et gent*,   *noble
5 Hautain maintien, demené doucement,
Accueil humble, plein de maniere lie*,   *joyeuse
Sans nul danger bonne chère* faisant,   *accueil
Et de chacun pris et los* emportant :   *gloire
De ces grands biens est ma Dame garnie*.   *pourvue

II. Tant bien lui sied à la noble Princesse
Chanter, danser et tout ébatement,
Qu'on la nomme de ce faire maîtresse*.   *maîtresse en cet art
Elle fait tout si gracieusement,
Que nul n'y sait trouver amendement*;   *critique
15 L'escole peut tenir* de courtoisie :   *elle peut tenir école
En la voyant apprend qui est sachant*;   *celui qui sait, un maître
Et en ses faits que va garde prenant*;   *auxquels il prend garde
De ces grands biens est ma Dame garnie.

III. Bonté, honneur, avecques Gentillesse*   *noblesse
20 Tiennent son cœur en leur gouvernement.
Et Loyauté nuit et jour ne la laisse.
Nature mit tout son entendement
A la former et faire proprement.
De point en point, c'est la mieux accomplie
25 Qui aujourd'hui soit au monde vivant,
Je ne dis rien que tous ne vont disant :
De ces grands biens est ma Dame garnie.

IV. Elle semble mieux que femme deesse;
    Je crois que Dieu l'envoya seulement
30 En ce monde pour montrer la largesse
    De ces hauts dons qu'il a entierement
    En elle mis abondonneement*.   *avec abondance
    Elle n'a per*, plus ne sais que je die;   *égale
    Pour fol me tiens de l'aller devisant*,   *de parler d'elle
35 Car moi ni nul n'est à ce suffisant;
    De ces grands biens est ma Dame garnie.

  V. S'il est aucun qui soit pris de tristesse
    Voise veoir* son doux maintenement,   *qu'il vienne voir
    Je me fais fort que le mal qui le blesse
40 Le laissera pour lors soudainement,
    Et en oubli sera mis pleinement;
    C'est Paradis que de* sa compagnie,   *de explétif
    A tous complaît, à nul n'est ennuyant,
    Qui plus la voit plus en est desirant;
45 De ces grands biens est ma Dame garnie.

ENVOI

    Toutes dames, qui oyez ci comment
    Prise* celle que j'aime loyaument,   *j'apprécie
    Ne m'en sachez maugré*, je vous en prie; *mauvais gré
    Je ne parle pas en vous deprisant*,   *méprisant
50 Mais comme sien je dis en m'acquittent :
    De ces grands biens est ma Dame garnie. (28)

VII. BALLADE SUR LA PAIX

I. Priez pour paix, douce Vierge Marie,
   Reine des cieux, et du monde maitresse,

QUESTIONS
---

28. Montrez que cette image de la femme aimée est dans la tradition
de l'idéal courtois. Charles d'Orléans ne complète-t-il pas ce portrait?

Faites prier, par votre courtoisie,
Saints et saintes, et prenez votre adresse*   *chemin
5 Vers votre fils requerant, sa hautesse
Qu'il lui plaise son peuple regarder
Que de son sang a voulu racheter,
En deboutant* guerre qui tout devoye**;   *chassant **bouleverse
De prieres ne vous veuillez lasser,
10 Priez pour paix, le vrai trésor de joie.

II. Priez, prelats et gens de sainte vie,
Religieux, ne dormez en paresse,
Priez, maistres et tous suivants clergie*,   *science
Car par guerre faut que l'étude cesse;
15 Moustiers* détruits sont sans qu'on les redresse,   *monastères
Le service de Dieu vous faut laisser,
Quand ne pouvez en repos demeurer;
Priez si fort que briefment Dieu vous oie*.   *entende
L'église veult à ce vous ordonner;
20 Priez pour paix, le vrai trésor de joie.

III. Priez, princes qui avez seigneurie,
Rois, ducs, contes, barons, pleins de noblesse,
Gentils hommes avec chevalerie,
Car méchants gens surmontent gentillesse;
25 En leurs mains ont toute votre richesse,
Debat* les font en haut état monter,   *les querelles
Vous le pouvez chaque jour voir au cler*,   *clairement
Et sont riches de vos biens et monnoie
Dont vous dussiez le peuple supporter*;   *soutenir
30 Priez pour paix, le vrai trésor de joie.

IV. Priez, peuple qui souffrez tyrannie,
Car vos seigneurs sont en telle faiblesse
Qu'ils ne peuvent vous garder par maistrie*,   *force
Ni vous aider en votre grand détresse;
35 Loyaux marchands, la selle si vous blesse
Fort sur le dos, chacun vous vient presser
Et ne pouvez marchandise mener,

Car vous n'avez sûr passage ni voie,
En maint péril vous convient-il passer ;
40   Priez pour paix, le vrai trésor de joie.

v. Priez, galants joyeux en compagnie,
Qui despendre* désirez à largesse,   *dépenser
Guerre vous tient la bourse dégarnie ;
Priez amants, qui voulez en liesse
45   Servir amour, car guerre, par rudesse,
Vous détourne de vos dames hanter,
Qui maintes fois fait leurs vouloirs tourner,
Et quand tenez le bout de la courroie,
Un étranger si le vous vient ôter,
50   Priez pour paix, le vrai trésor de joie.

ENVOI

Dieu Tout Puissant nous veuille conforter
Toutes choses en terre, ciel et mer,
Priez vers lui que brief * en tout pourvoie,   *vite
En lui seul est* de tous maux amender ;   *il dépend de lui seul
55   Priez pour paix, le vrai trésor de joie. (**29**)

VIII. RONDEAU

La forme du rondeau adoptée par Charles d'Orléans s'observe déjà
chez Christine de Pisan. Assez différent du type observé chez Guillaume
de Machaut, ce rondeau comporte habituellement treize vers qui se
décomposent ainsi : le refrain — deux vers — deux vers suivis du refrain
— quatre vers suivis du premier vers du refrain. Les rondeaux de Charles
d'Orléans sont le plus souvent consacrés à l'amour, selon la tradition
courtoise, les uns sur un ton familier et spontané, les autres dans une
forme plus artificielle et savante. Ces derniers, enrichis d'allégories,

────── **QUESTIONS** ──────

29. Analysez la composition de ce poème ; dans quel ordre se suc-
cèdent les invocations en faveur de la paix ?

— Quelles raisons avait Charles d'Orléans de réclamer la paix ?

— Ce poème n'est-il pas indirectement un document sur la situation
de la France à cette époque ?

posent parfois des énigmes au lecteur moderne. Les trois rondeaux cités ici ne mettent en œuvre que des images parfaitement claires.

 I. Dieu, qu'il la fait bon regarder
La gracieuse, bonne et belle!
Pour les grans biens qui sont en elle,
Chascun est prest de la louer.

5 II. Qui se pourrait d'elle lasser?
Toujours sa beauté renouvelle*.   *se renouvelle
Dieu, qu'il la fait bon regarder,
La gracieuse, bonne et belle!

 III. Par deçà ne dela la mer
10 Ne sçay Dame ne Damoiselle
Qui soit en tous biens parfais telle;
C'est un songe que d'y penser.
Dieu, qu'il la fait bon regarder!

IX. RONDEAU

 I. Quant je fus prins ou pavillon*   *piège pour les oiseaux
De ma dame tres gente et belle,
Je me brulé a la chandelle,
Ainsi que fait le papillon.

 II. Je rougiz comme vermillon,
Aussi flambant que une estincelle,
Quant je fuz prins ou pavillon
De ma dame tres gente et belle.

 III. Se j'eusse esté esmerillon*   *oiseau de proie
10 Ou que j'eusse eu aussi bonne aille*,   *aile
Je me feusse gardé de celle
Qui me bailla* de l'aguillon   *donna
Quant je fuz prins ou pavillon.

X. RONDEAU

Rondeau allégorique, dont certaines images et certains termes rappellent la ballade « En la forêt de Longue Attente » (voir page 110).

I. Les fourriers d'Esté sont venus
    Pour appareillier son logis*,   *préparer son logis
    Et ont fait tendre ses tappis
    De fleurs et verdure tissus.

II. En estandant tappis velus,
    De vert herbe par le païs,
    Les fourriers d'Esté sont venus
    Pour appareillier son logis.

III. Cueurs d'ennuy pieça* morfondus,   *depuis longtemps
10 Dieu merci, sont sains et jolis;
    Alez vous ent, prenez païs,
    Yver, vous ne demourrés plus;
    Les fourriers d'Esté sont venus! (**30**)

──────── QUESTIONS ────────

30. Dans ces trois rondeaux, montrez en quel sens Charles d'Orléans reste sous l'influence de la théorie de l'amour courtois.

— Qu'est-ce qui pourtant permet d'affirmer que l'auteur est convaincu?

— N'y a-t-il pas pourtant une certaine froideur? Où se manifeste-t-elle? Comment?

— Étudiez la forme de ces rondeaux.

DOCUMENTATION THÉMATIQUE

réunie par la Rédaction des Nouveaux Classiques Larousse

1. Les premiers trouvères.
2. Les grands trouvères du XIIIe siècle.

1. LES PREMIERS TROUVÈRES

Ces textes sont extraits du livre de Gustave Cohen, *La poésie en France au Moyen Age*.

Du Midi de la France, nous remontons vers le Nord, où nous retrouverons la reine Éléonore d'Aquitaine, non en sa personne, mais dans celle des filles qu'elle a eues de son premier mari, Louis VII, roi de France. L'une, Aelis a épousé le comte Thibaut de Blois, l'autre, Marie, le comte Henri I de Champagne dit le Libéral et passe de son château de Provins à sa capitale de Troyes, centre des illustres foires de Champagne, où les marchandises d'Orient rencontrent celles des Flandres, et où les idées circulent aussi bien que les florins de Florence et les esterlings d'Angleterre.

Comme leur mère, les deux princesses se plaisent à protéger les romanciers et les poètes et tiennent des Cours d'amour, qui ne sont pas, comme on l'a cru jadis, des Cours devant lesquelles sont assignés et comparaissent les amants, mais des bureaux d'esprit, des *cours* littéraires, où se discutent les problèmes de casuistique amoureuse auxquels nous nous plaisons, ce qui m'a fait dire un jour que les Français étaient les professeurs d'amour de l'Europe.

Les problèmes qu'on discute autour de la comtesse Marie, dont le secrétaire est André le Chapelain, qui écrira pour elle un *Ars recte amandi*, un traité de l'Art d'aimer, sont du genre de celui-ci : « L'amour peut-il exister entre époux ? » et la réponse, qui n'est guère édifiante, est tout à fait négative.

On est en correspondance par courrier, mettons diplomatique, avec la Comtesse Ermengarde de Narbonne, qui, de loin, prend part, à ces débats et ces ébats.

Le principal protégé de Marie (qu'à tort on a voulu identifier avec notre première poétesse, Marie de France) est ce Chrétien de Troyes, dont l'œuvre est si considérable que j'ai pu lui consacrer un gros livre où j'ai montré qu'il était le père du roman français, et par là même du roman universel ; au point qu'il est absurde de parler du roman anglais, américain, russe, le mot roman signifiant français, tant le genre s'est identifié avec notre nation et son idiome.

Mais j'ai eu tort de ne pas souligner que Chrétien de Troyes, à qui sa ville natale se devrait d'élever un monument, dont le sculpteur troyen Milleret avait fait, à ma demande, la maquette, est aussi notre plus ancien poète lyrique, comme introducteur en Champagne du lyrisme méridional et de l'amour courtois. Mais sur les huit poésies qui lui sont attribuées par les manuscrits, il n'en est que trois d'authentiques et je n'ai pas à en louer la qualité ou l'inspiration. Un romancier-né n'est pas nécessairement un poète-né. Citons tout de même ces quatre vers :

> Onques du breuvage ne bus
> Dont Tristan fut empoisonné,
> Mais plus me font aimer que lui
> Fin cœur et bonne volonté.

Je souligne l'allusion à Tristan, car je crois toujours que Chrétien de Troyes est l'auteur de notre premier Tristan, malheureusement perdu. Combien je préfère Gace Brulé, cet autre protégé de Marie, dont l'inspiration est plus fraîche et plus pure. Nous sommes contents de quitter les anonymes chansons pour pouvoir nommer l'auteur et lui dédier notre admiration, inscription sur la *lame* du tombeau, comme on disait autrefois.

Donc Gace Brulé est un hobereau qui prit du service à la Cour de Bretagne et là, en entendant chanter les oiseaux dans la ramée, lui prit la nostalgie de son terroir champenois (à cette époque le Français a plus conscience de sa petite patrie natale que de la grande, nationale). Je voudrais que l'on sût par cœur au moins cette strophe mélancolique que je traduis ainsi :

> Les oisillons de mon pays
> Ai ouïs en Bretagne.
> A leur chant m'est-il bien avis
> Qu'en la douce Champagne
> Les ouïs jadis.

Plus jeune que Chrétien de Troyes, il vécut dans le dernier quart du XIIe et les premières années du XIIIe. En rapport d'abord avec le comte Thibaut III de Champagne, on le rencontre aussi dans l'Ouest où il fut protégé par Geoffroy II le comte de Bretagne, fils de Henri II Plantagenet. Ensuite une charte de 1212 nous montre en Gace Brulé un chevalier poète (nous voilà loin du jongleur baladin, errant sur les routes et se produisant dans les kermesses et ducasses), louant deux arpents aux Templiers dans le canton de Dreux où sans doute il mourut.

Comme poète sa réputation s'étendit au loin, car un poème religieux lui reproche d'avoir trop célébré l'amour profane :

> Je le vous dis pour Gace le Brulé,
> Assez chanta dont Dieu ne lui sait gré.

Un autre texte nous le montre proposé en exemple à Thibaut IV de Champagne, pour dissiper sa mélancolie. Il s'agit des *Chroniques de Saint-Denis*. « Et parce que profondes pensées engendrent mélancolie (allusion à son amour pour Blanche de Castille), lui fut-il conseillé pas d'aucuns sages hommes qu'il s'étudiât en beaux *sons* (chansons, morceaux) de vielle et en doux chants délitables (agréables). Et fit, comme Gace Brulé, les plus belles chansons et les plus délitables et mélodieuses qui onques fussent ouïes en chansons ni en vielle (une sorte de violon). Et les fit écrire en sa salle à Provins

et en celle de Troyes et sont appelées les chansons du Roi de Navarre. »
Pour revenir à Gace Brulé, citons encore ce début de chanson célébrant le printemps, clause de style, nous l'avons vu, mais où ce poète doué a mis tout son cœur :

> Au renouveau de la douceur d'été,
> Où s'éclaircit l'eau pure en la fontaine
> Et que sont verts bois et vergers et prés
> Et le rosier en mai fleurit et graine,
> Lors, chante.

Mais d'aventure il dira aussi l'hiver :

> Contre temps que vois frimer
> Les arbres et blanchoyer,
> M'a pris désir de chanter,
> Lors que fine feuille et fleur,
> Que vois la froidure entrer,
> Lors chante d'ennui, de pleurs.
> Autrement ne puis chanter.

Et voilà la mélancolie romantique entrée dans notre littérature, non à grands bruits de sanglot mais à petit ruisselet de larmes.
Pour la dernière décade du XII⁰ siècle, quand lentement sortait de terre, pierre par pierre, la nef de Notre-Dame de Paris en la Cité et pour la première décade du XIII⁰ siècle, j'ai encore deux poètes à vous présenter : un chevalier, le châtelain de Coucy et un jongleur professionnel, de ceux qu'on appellera bientôt les ménestrels, qui est de Provins. Leurs patries vous les connaissez. Ceux d'entre vous qui sont de mon âge ont pu voir l'admirable donjon du château de Coucy, dont deux guerres et les mêmes envahisseurs barbares ont eu raison et tous, les Parisiens surtout — vous pouvez voir Provins, la vieille ville, dont la Marquise de Maillé a fait l'histoire et qui témoigne de la prospérité des Comtes de Champagne.
Comme son prédécesseur immédiat, Gace Brulé, le châtelain de Coucy célèbre le Printemps et au fond, comment ne célébrerait-il pas ce Renouveau qui renouvelle avec le corps l'âme, sous le signe de la résurrection pascale et au son des clochettes de mai :

> Le nouveau temps et mai et violette,
> Le rossignol m'exhortent de chanter
> Et mon fin cœur me fait d'une amourette
> Si doux présent que n'ose refuser.
> Me laisse Dieu en cet honneur monter
> Que celle où j'ai mon cœur et ma pensée
> Tienne une fois entre mes bras nuette,
> Avant qu'aille outremer.

Le poète lyrique du Nord, le trouvère (du même verbe *trouver*, créer que le mot troubadour) semble plus réaliste que son émule méridional. Ce n'est d'ailleurs qu'une apparence, mais cette sensualité, qui perce ici, n'empêche point le primat du spirituel et la voix d'appel du Saint Sépulcre contre l'appel et le désir de l'amante qu'il va falloir abandonner pour la Croisade. Or cette amante, l'histoire indiscrète nous livre son nom, la Dame du Fayel, enveloppée d'une sombre légende, qui, pour manquer d'authenticité, n'en a pas moins de grandeur sombre et tragique.

Quand il la quitta pour la grande et sainte aventure de la Croisade, il en eut le cœur meurtri, c'est ce qu'il exprime dans ces vers :

> Ne voulut pas Dieu pour néant donner
> Tous les plaisirs que j'ai eus en m'amie,
> Mais me les fait bien chèrement payer,
> Quand il me faut départir de ma mie.
> Je m'en vais, Dame; à Dieu le Créateur
> Vous recommande en quel lieu que je sois.
> Que nos serments teniez, vienne ou demeure!
> Va par pitié, va, chanson, je t'en prie,
> Car je m'en vais servir Notre Seigneur
> Et sachez bien, dame de grand valeur,
> Si je reviens que pars pour vous servir.

Pressentiment. Il ne devait pas revenir de la Croisade de 1203, quoiqu'il eût sur son heaume (casque) tressé des cheveux de sa dame. Frappé à mort par une flèche sarrasine, il se fait porter par son fidèle Gobert sur le bateau qui doit le ramener au pays. Il se sent perdu et, pour se consoler, contemple longuement le coffret où il a serré le manuscrit de ses chansons et les tresses de la dame, faisant promettre à Gobert de le remettre entre les mains de celle-ci, après avoir joint au manuscrit un objet plus précieux encore, le cœur de son amant, qui est tout à elle, arraché de la poitrine avant que le corps soit jeté à la mer. Ainsi fut fait. Malheureusement, dans la forêt près du Fayel, Gobert est surpris par le Seigneur et forcé par lui de lui livrer, avec le coffret, le secret. Le jaloux, méditant une affreuse vengeance, fait accommoder par son cuisinier, en confit, le cœur de l'amant, et le roman du Châtelain de Coucy raconte que la dame, s'étant délecté de ce mets, articule :

> « Pourquoi et comment
> N'en donne notre queux souvent?
> — Dame n'ayez nulle merveille
> S'il est bon, et sa pareille
> Ne pourrait-on mie trouver,
> Car vous en ce mets-ci mangeâtes
> Le cœur qu'au monde mieux aimâtes,
> C'est du Châtelain de Coucy,

> Dont on vous a servi ici
> Le cœur qu'aimâtes, lui vivant,
> Et pour un peu m'en revenger
> Je vous ai fait son cœur manger.

Afin d'achever de la convaincre, le cruel lui fait apporter la lettre, les tresses et le coffret. A quoi elle dit :

> « Par Dieu, Sire, ce pèse à moi
> Et puisqu'il en est bien ainsi,
> Certainement je vous affirme
> Qu'à nul jour plus ne mangerai. »

> Or ne demeura guère après
> Qu'elle pria à Dieu merci
> Et l'âme du corps s'en partit.

Telle est l'histoire du châtelain de Coucy et de la dame du Fayel. Il est fâcheux seulement que le même trait se raconte du troubadour provençal Guillaume de Cabestanh. Vous avez le choix entre le doute et la légende, mais assurément préférerez-vous la légende.

Du jongleur moine Guyot de Provins, je n'ai point d'histoire aussi tragique à vous conter. C'est un homme du métier, colportant sur les places publiques, vielle en bandoulière, dans la salle du château et la chambre des dames, ses poèmes et ceux des autres, ainsi que les chansons de Geste. Peut-être a-t-il appris son métier à l'école des jongleurs, à Beauvais, car il excelle à ciseler les strophes les plus savantes. Comme Gace Brulé et le Châtelain de Coucy, il appartient à la fin du XIIe siècle et au début du XIIIe. On lui doit une *Bible des États du Monde*, intéressant tableau critique et satirique de la société du temps. Peut-être a-t-il écrit aussi l'Histoire du Graal, si toutefois comme je le crois, on doit reconnaître en lui le Kyot der Provinzal, dont parle le romancier allemand de la même époque Wolfram von Eschenbach.

Après avoir été jongleur errant, il devint prête. On a conservé de lui cinq chansons, qui ne brillent pas par une originalité particulière, sauf celle où il affirme déjà la nostalgie de son pays, si caractéristique du Français, quand il s'en éloigne :

> Bien longtemps aurai demeuré
> Hors de ma douce contrée
> Et maint grand ennui enduré
> En terre maleürée*   *maudite...
> Le plus beau jour soit d'été
> Me semble neige et gelée
> Quand au pays que je plus hais,
> Il me faut faire demeurée.
> N'aurai mais joie en mon été,
> S'en France ne m'est donné.

Recueillons précieusement cette larme sonore versée par le poète sur la patrie perdue.

Et voici de nouveau un seigneur-poète et un noble croisé du Nord, Conon de Béthune, aussi du début du XIIIᵉ, mais empiétant un peu sur ce temps. En se croisant il prenait la suite d'une lignée de ses ancêtres, qui déjà avaient cousu sur l'épaule gauche de leur bliaut blanc la croix rouge du Saint-Sépulcre : Robert l'avoué ou avocat de l'abbaye de Saint-Vaast d'Arras, Robert III le Chauve, compagnon de Godefroy de Bouillon et mort en 1151, Robert V le Roux, tombé en 1151, devant Saint-Jean-d'Acre. Conon est son cinquième fils, c'est d'eux que descend Sully, le grand ministre d'Henri IV. Le nôtre ne croyait pas déchoir non plus en faisant des vers, art qu'il tenait de Huon d'Oissy, châtelain de Cambrai. C'est un des rares témoignages que nous ayons sur la façon dont se transmettait l'art de prosodie française, que l'École, toute latine, n'enseignait pas. Quoiqu'il écrivît un français assez pur, il avait gardé l'accent de son terroir picard, ce dont on se moqua à la cour de France en l'entendant réciter. Il s'en plaint :

> Car mon langage ont blâmé les François
> Et mes chansons, oyant les Champenois,
> Et la comtesse encore, dont plus me poise.

Il s'agit de Marie la célèbre protectrice de Chrétien de Troyes, laquelle mourut en 1199.

> La reine n'a pas agi en courtoise
> Qui me reprit, elle et son fils le Roi*   *PhilippeAuguste,
> Quoique ne soit ma parole françoise,
> Si la peut-on bien entendre en françois
> Et ceux ne sont bien appris ni courtois,
> Quand m'ont repris, si j'ai dit mot d'Artois,
> Car je ne fus pas nourri* à Pontoise.   *élevé

Deux chansons montrent qu'il a prit part à la troisième Croisade (1189-1193), celle de Philippe-Auguste, roi de France, Richard Cœur-de-Lion et Frédéric Barberousse, empereur d'Allemagne, mais surtout il prit une part brillante à la quatrième Croisade, celle qui conduisit les Croisés de Beaudoin de Hainaut à fonder le royaume de Constantinople. Il devint sénéchal et même sergent, et mourut au palais Boucoléon aux bords de la Corne d'Or, le 17 décembre 1219 ou 1220 : cette haute dignité ne favorisa pas sa production littéraire qui semble plutôt dater d'avant 1204. Comme le Châtelain de Coucy, il déplore la séparation d'avec la Dame de ses pensées :

> Ah! Amour que dure départie
> Me conviendra faire de la meilleure

> Qui jamais fut aimée ni servie.
> Dieu me ramène à elle par douceur,
> Aussi vraiment que m'en pars à douleur.
> Las! qu'ai-je dit, je ne m'en pars mie.
> Si le corps va servir Notre Seigneur,
> Le cœur reste entier en sa baillie*.   *pouvoir
> Pour elle m'en vais soupirant en Syrie,
> Car je ne dois faillir mon Créateur.
> Qui lui faudra en ce besoin d'aïe*   *aide
> Sachez, faudra à une part meilleure
> Et sachent bien les grands et les mineurs*   *moindres
> Que là doit on faire chevalerie,
> Où on conquiert Paradis et honneur
> Et gloire et laus* et l'amour de sa mie.   *louange

Toujours cette union singulière de l'amour divin et de l'amour humain, celui-ci menant à celui-là. Conception précornélienne de l'amour-dignité. Ne peut aimer que celui qui en est digne. Les *recréants* (lâches) et mauvais sont exclus de l'un comme de l'autre. Il faut faire offrande à la bien-aimée d'un cœur que Dieu a retenu pour sien, dût ce cœur en être déchiré. Dans une deuxième pièce, de peu postérieure à 1188, il proteste :

> Que doit par droit mon mérite être grand
> Car plus dolent ne se part nul de France.

Ainsi voilà, pour clore le dernier quart du XIIe siècle et ouvrir le premier quart du XIIIe, celui où la cathédrale de Reims, conçue par Philippe d'Orbais sort de terre, un quintette de poètes lyriques dont trois sont nobles et deux se sont croisés, trouvant dans leur départ pour l'Orient, qu'on n'appelait pas encore le proche Orient, une source d'inspiration parfois déchirante.
Je les nomme une fois encore avant de les quitter. Chrétien de Troyes, l'annonciateur, Gace Brulé qui, entendant les oisillons de Bretagne pense à sa Champagne natale, le Châtelain de Coucy, l'homme au cœur mangé, le jongleur moine Guyot de Provins et Conon de Béthune, dont l'accent picard est moqué à la Cour, ce qui ne l'empêche point de devenir sénéchal de la Cour latine de Constantinople, où il mourut en 1220.

2. LES GRANDS TROUVÈRES DU XIIIe SIÈCLE

Il manquait encore à la poésie pour conquérir sa complète dignité, d'escalader les marches du trône, ce qui fut fait lorsque Thibaut IV, Comte de Champagne, dont nous avons déjà parlé, devint roi de Navarre. Lui aussi s'auréole d'une légende, celle de ses amours avec la Reine Blanche de Castille, mère de Saint Louis, dont les historiens à l'esprit critique ne veulent rien savoir.

Thibaut IV, comte de Champagne et de Brie, est le petit-fils d'Henri I le Libéral et de Marie, fille d'Éléonore d'Angleterre, protectrice de Chrétien de Troyes et qui tenait dans sa capitale une cour littéraire, une Cour d'Amour, en tout bien tout honneur.

Thibaut IV, enfant posthume, assista Philippe-Auguste à la bataille de Bouvines en 1214, mais abandonna le successeur, le roi Louis VIII, au Siège d'Avignon. On l'accusa même d'avoir fait empoisonner le roi par amour de la Reine Blanche de Castille, mère de Louis IX et régente de France *ob amore reginae quem amabat*, dit une chronique.

Amant ou adorateur ? Amant, c'est peu probable ; adorateur et poète à la façon provençale, ce n'est pas impossible, témoin ce vers :

« Belle et blonde et couronnée. »

(Il est vrai que les philologues corrigent en *colorée*).

Lorsque le soulèvement contre l'Étrangère aboutit à la paix, la reine Blanche lui reprocha son hostilité. « Le comte regarda la reine, qui tant était sage et belle, de la grande beauté d'elle il fut tout ébahi et lui répondit : « Par ma foi, ma Dame, mon cœur et mon corps et toute ma terre sont en votre commandement. » De là se partit tout pensif et lui venaient souvent en remembrance le doux regard de la Reine et sa belle contenance. Lors entrait en son cœur une pensée douce et amoureuse, mais, quand il se souvenait qu'elle était si haute et si bonne vie et de si nette qu'il n'en pourrait jamais jouir, se muait sa douce pensée amoureuse en grande tristesse.

« Et par ce que profondes pensées engendrent mélancolie » (j'ai déjà cité ce passage à propos de Gace Brulé), il lui fut conseillé de s'étudier en chansons de vielle et en doux chants délectables. Donc on lui doit ainsi qu'à Gace Brulé, les plus belles chansons et les plus mélodieuses, et les fit écrire en sa salle à Provins et en celle de Troyes, et sont appelées *Les Chansons du Roi de Navarre*, ce qu'il fut en effet après avoir succédé à son oncle maternel Sanche le Fort, mort en 1234.

Est-ce cette nouvelle dignité royale qui le fit désigner en 1239 pour remplacer Frédéric II à la tête de la 5e Croisade ? Elle eut peu de succès et, insensible en 1248 à l'appel du jeune suzerain Louis IX, il mourut à Pampelune, le 7 juillet 1253.

Thibaut de Champagne apparaît comme un assez médiocre politique, mais il fait meilleure figure dans l'histoire littéraire que dans l'histoire, car, à la vérité, c'est un excellent poète, sensible, imaginatif et bon technicien du vers et de la strophe.

Tous les genres il les a pratiqués : le *son* ou chanson d'amour, le *jeu-parti* ou discussion entre deux poètes, arbitrées par un tiers, la pastourelle et la chanson de croisade ou d'*outrée*, dont nous avons parlé, la chanson pieuse, toujours avec accompagnement musical, dont il semble également l'auteur. Exemple :

> Mieux aime d'elle accointance
> Et le doux nom
> Que le royaume de France.
> Dame en ai conviction
> Que vous prendrez connaissance.
> E! é! é!

Mais des chansons d'amour, celle que je préfère est *l'Unicorne*. On connaît la Licorne, cet animal chimérique, sorte de biche portant une corne unique sur le front, figurant à côté de la dame dans les tapisseries de haute lisse du xve siècle et symbolisant l'amour. Voici mon adaptation, encore inédite :

> Ainsi comme Unicorne suis
> Qui s'ébahit en regardant,
> Quand la pucelle va mirant;
> Contente est de son ennui.
> Pamée tombe en son giron.
> Lors l'occit-on en trahison.

J'ai déjà fait allusion à une plaisante pastourelle qu'on doit à Thibaut de Champagne et à son magnifique chant de croisade, dont la musique est si noble et si belle, qui commence par ces vers :

> Seigneurs sachez, qui or ne s'en ira
> En celle terre où Dieu fut mort et vif
> Et qui la Croix d'Outremer ne prendra
> A meine mais ira au Paradis...

Quand j'entends ces fermes accents, chant et paroles, il me semble voir la *route* ou troupe de bataille des compagnons du Champenois, roi de Navarre. Il va devant, sur son cheval blanc, dont le pennon de sa lance caresse la crinière. Visière levée, le heaume d'acier brillant couvrant son chef, le haubert de mailles abrite sa poitrine et sous les genoux va rejoindre la cotte ferrée du destrier. Sur le bliaut de laine blanche, la croix rouge du croisé rutile au soleil d'Orient. Par rang de quatre, ses chevaliers Champenois et Navarrais suivent, à cheval, leur comte et roi, et de leur mâle poitrine monte à l'unisson le chant que leur maître composa, honnissant les lâches, les recréants, les morveux et les cendreux et appelant les braves au lieu où les anges sont : Marseillaise ou plutôt Champenoise de ce David médiéval, Thibaut IV, le roi-chansonnier.

Quel contraste entre Thibaut de Champagne et son compatriote de l'Est, le jongleur errant par les routes, Colin Muset qui, dans l'histoire de la poésie lui succède, ayant composé au milieu du XIIIᵉ siècle : *Voulez ouïr la Muse Muset* ? Il promène les œuvres d'autres; mais aussi et surtout les siennes, tels nos bons chanteurs du Grenier de Montmartre, que vous entendez chaque dimanche à midi.

Colin est de la Haute-Marne et son surnom de Muset lui vient de ce qu'il s'accompagne de la cornemuse ou gros bourdon dans lequel souffle quelque ménestrel. Il dit lui-même :

> L'on m'appelle Colin Muset
> Et ai mangé maint chaponet,
> Mainte viande ou gâtelet
> En verger et en praelet*.   *petit pré

Comme nous le verrons, la nourriture, la bonne chère, est une des grandes préoccupations de ce poète réaliste et besogneux. Cela ne l'empêche pas de chanter le printemps et la nature aussi bien que ses prédécesseurs troubadours et trouvères.

> *Voulez-vous ouïr la Muse Muset.*
> En mai fut faite un matinet,
> En un verger fleuri, verdet,
>   Au point du jour,
> Où chantaient jolis oiselets
>   De joie autour,
> Et j'allais faire un chapelet
>   En la verdour.

Il aperçoit une demoiselle :

> Avenant et moult belle
> Gente pucelle,
> Bouchette riant,
> Qui me rappelle
> « Viens çà et vielle
> Ta muse en chantant
> Tant mignotement. »

Avec la vielle et l'archet, il lui chante le *muset* par grand amour :

> Vers elle au pré sitôt j'allai
> Avec la vielle et l'archet
> Et lui ai chanté le muset
>   Par grand amour
> « J'ai mis mon cœur en si bon cœur
>   Épris d'amour. »

Il en est récompensé par un baiser à sa volonté et sans doute davantage, car il ne se contente pas de si peu, et, en plus, un bon morceau et du bon vin. Il est ainsi.

Ainsi les jongleurs étaient vengés des injures et anathèmes de l'Église. C'est déjà un fait remarquable de les voir, eux si pauvres et dénués, unis à des bourgeois souvent riches, dans une même Confrérie, pour les mêmes fêtes et frairies, mais la grande industrie lainière (les *panni artegiani*, les draps artésiens étaient célèbres jusqu'en Orient) avait fait naître, à l'ombre du beffroi, symbole des libertés communales, une bourgeoisie riche, dont les membres, imitant les mœurs des nobles, voulaient avoir leurs ménestrels, toujours attirés, ces moineaux francs, par les miettes tombées de la table des grands et des gros.

De ces poètes je rappellerai les principaux : Jean Bodel, mort en 1210, auteur du *Jeu de Saint Nicolas* et d'un *Congé*, dont il fonda le genre, par lequel, devenu lépreux, chassé de la communauté citadine et mort au monde, il prenait congé de ses amis :

> De tous ceux qui supporté l'ont :
> Moitié sain et moitié pourri.

Il y a de grandes beautés dans le *Jeu de Saint Nicolas*, surtout dans les scènes de Croisade (toujours la Croisade, cette hantise des clercs et des laïcs, des nobles et du peuple) :

LES CHRÉTIENS *parlent*

> O Saint Sépulcre à l'aide, Seigneurs il faut bien faire !
> Sarrazins et Païens viennent pour nous défaire,
>   Vois les armes reluire, tout le cœur m'en éclaire.

Un CHRÉTIEN, *nouveau chevalier*

> Seigneur, si je suis jeune, ne m'ayez en dépit,
> On a bien vu souvent grand cœur en corps petit.

Vers, dont on a dit justement qu'il annonçait celui de Corneille :

> « La valeur n'attend pas le nombre des années. »

Baude Fastoul, qui est du milieu du XIIIᵉ et aussi d'Arras, partagea le sort de son prédécesseur Jean Bodel et fut comme lui frappé du terrible mal, qui le retranchait du siècle en en faisant une sorte de mort vivant, fantôme à cagoule baissée sur le visage, agitant sa cliquette pour faire fuir les passants, avant de rentrer dans sa léproserie, où on lui portera sa nourriture par guichet. Pauvre poète, la tour du lépreux devient sa tour d'ivoire.

JUGEMENTS SUR LA POÉSIE LYRIQUE
DU XIIIᵉ AU XVᵉ SIÈCLE

XVIᵉ SIÈCLE

Ly donques et reli premierement (o Poète futur), feuillette de main nocturne et journelle les exemplaires grecz et latins : puis me laisse toutes ces vieilles poësies françoyses aux Jeux floraux de Thoulouze et au puy de Rouan : comme rondeaux, ballades, vyrelaiz, chantz royaulx, chansons et autres telles episseries qui corrumpent le goust de nostre langue, et ne servent sinon à porter temoingnage de nostre ignorance.

J. Du Bellay,
Deffense et illustration de la langue françoise (II, 4).

XVIᵉ SIÈCLE

Je vous diray que nostre Poësie Françoise ne se logea pas seulement aux esprits du commun peuple, ains en ceux mesmes des princes et grands Seigneurs de nostre France, parce qu'un Thibaut, Comte de Champagne, Raoul, Comte de Soissons, Pierre Mauclerc, Comte de Bretagne, voulurent estre de ceste brigade : quelques-uns y adjoustent Charles, Comte d'Anjou, frere de S. Louys. Et sur tous, nous devons faire grand estat du Comte de Champagne. Lequel s'estant donné pour Maistresse la Roine Blanche, mere de Saint Louys, fit une infinité de chansons amoureuses en faveur d'elle, dont les aucunes furent transcrites en la grande Sale du Palais de Provins, comme nous apprenons des grandes Chroniques de France dediees au Roy Charles huitieme. Et qui est une chose grandement remarquable, c'est qu'au commencement du premier couplet de plusieurs chansons, il y a les notes de Musique telles que portoit ce temps là pour les chanter.

Étienne Pasquier,
Recherches de la France (1560-1619) [livre VII, ch. III].

XVIIᵉ SIÈCLE

Tout poème est brillant de sa propre beauté.
Le rondeau, né gaulois, a la naïveté.
La ballade, asservie à ses vieilles maximes,
Souvent doit tout son lustre au caprice des rimes.

Boileau,
Art poétique (1674) [ch. II, v. 139-142].

XVIIIᵉ SIÈCLE

Rien de plus commun dans le XIIᵉ siècle que les chansons érotiques [...]. On connaît celles de Thibaut, Comte de Champagne, pour la Reine, mère de Saint Louis. Une multitude d'auteurs, contemporains de Thibaut, parmi lesquels on compte plusieurs noms du premier rang, s'exercèrent dans le même genre; et ce genre, pour des gens qui ne se doutaient pas que la Poésie dût avoir des règles, était, comme je l'ai dit, si facile qu'on ne doit pas s'étonner s'ils se multiplièrent si étonnamment. J'ai parcouru tout ce que je connais, dans les differentes bibliothèques de Paris, de manuscrits contenant d'anciennes chansons. Ce ne sont la plupart que des lieux communs d'une fade galanterie, de tristes supplications à leur maîtresse pour l'attendrir, des plaintes éternelles contre les médisans, un début trivial qu'on croirait avoir été d'usage, tant il est souvent employé : *la verdure renaît, le rossignol chante, je veux chanter aussi.* Quelquefois pourtant on y trouve de la naïveté, du sentiment, des peintures du printemps assez agréables.

Legrand d'Aussy,
Fabliaux ou Contes du XIIᵉ et du XIIIᵉ siècle (1779)
[Préface, p. xv-xvi].

XIXᵉ SIÈCLE

Les pièces qu'il [l'auteur] intitule *Ballades* ont un caractère différent; ce sont des esquisses d'un genre capricieux : tableaux, rêves, scènes, récits, légendes superstitieuses, traditions populaires. L'auteur, en les composant, a essayé de donner quelques idées de ce que pouvaient être les poèmes des premiers troubadours du Moyen Age, de ces rapsodes chrétiens qui n'avaient au monde que leur épée et leur guitare, et s'en allaient de château en château, payant l'hospitalité avec des chants.

Victor Hugo,
Odes et Ballades (Avant-Propos de 1826).

XXᵉ SIÈCLE

Il y a trop de pose dans cette poésie [du xvᵉ siècle], de trop longs développements aussi. Nos vieux poètes n'entendaient pas comme nous le lyrisme, qui était encore pour eux en partie musical. Les hommes du xviᵉ siècle, et nos romantiques surtout, ont mis cet élément lyrique dans la poésie même. Nos âmes sont plus riches, plus compliquées aussi. Les hommes d'autrefois n'étaient que subtils. Ils avaient des loisirs, ils accueillaient avec reconnaissance toute matière d'un développement instructif; le vers n'était le plus souvent pour eux qu'un langage conventionnel, imposé par la mode, qui doit traduire un amour tout aussi convenu; une forme plus adaptée à la mémoire pour retenir des conseils moraux, ou toute autre notion utile à la vie. Mais nos anciens poètes, que le monde entier connut et traduisit, ne méritaient ni ce mépris dont les accable un Joachim Du Bellay, ni un oubli qui est de l'ingratitude.

Pierre Champion,
Histoire poétique du XVᵉ siècle (1923).

[Charles d'Orléans] est le seul qui ait su tirer des froides allégories du *Roman de la Rose* l'essence de poésie qu'elles recelaient : Amour, Male Bouche, Danger, tous ces personnages se meuvent dans les ballades et les rondeaux [...]. Silhouettes légères qui passent et qu'on suit de l'œil avec plaisir : c'est tout un petit peuple factice qui s'anime, pour une fois, d'une vraie vie, et où on rencontre sans surprise le cœur et les yeux du poète, personnages qui ne sont nullement déplacés dans cette mythologie du Moyen Age finissant. [...]

C'est une surprise de trouver de la tendresse réelle dans une poésie qui, depuis un siècle, et peut-être depuis l'origine, a surtout vécu de conventions. Cette fois, il semble que nous ayons sous les yeux la peinture de vraies joies et de vrais chagrins, quoiqu'il faille y regarder de près pour en goûter le charme discret.

Edmond Faral,
Histoire de la littérature française,
publiée sous la direction de J. Bédier et P. Hazard (1948).

SUJETS DE DEVOIRS

Narrations :

● Richard Cœur de Lion salue le corps du châtelain de Coucy, blessé mortellement à ses côtés pendant la croisade. Il rappelle que le poète, s'embarquant pour la Terre sainte, d'où il ne pensait pas revenir, souhaitait acquérir trois biens plus précieux que la vie : le paradis, la gloire et l'amour de sa dame.

● Le poète Charles d'Orléans, contemplant la mer du haut des remparts de Douvres, exprime la tristesse que lui cause son interminable captivité et regrette la patrie absente.

Dissertations :

● Dans quelle mesure l'hostilité de Du Bellay contre les « épisseries » du Moyen Age était-elle justifiée ?

● Appréciez et justifiez cette opinion de Joseph Bédier : « Un peu avant 1150 se développe dans les cours chevaleresques un certain goût de poésie pastorale [...]. C'est un jeu aristocratique, c'est une mode de société... Elle crée ce que peut créer une mode de salon, c'est-à-dire, simplement, comme au temps de Fontenelle ou de Florian, les petits genres pastoraux. »

● Définissez, à l'aide d'exemples, les différents sens du terme « poésie lyrique ».

● Comparez la fable de La Fontaine (II, 11) : *Conseil tenu par les rats*, et la ballade d'Eustache Deschamps : *Qui pendra la sonnette au chat ?*

● Définissez les règles de la *ballade*, telles qu'elles apparaissent fixées à la fin du XVe siècle, et montrez le développement du genre, depuis cette époque jusqu'à nos jours, en citant quelques exemples caractéristiques.

● Étienne Pasquier, dans ses *Recherches de la France*, écrit : « Dans le premier livre de mes *Lettres*, il y en a une que j'écris au seigneur de Ronsard, par laquelle j'ay amplement discouru quelle estoit l'œconomie du *Livre* (de Thibaut de Champagne). » Composez cette lettre en indiquant les raisons qu'avait Pasquier d'attirer l'attention de Ronsard sur notre ancienne poésie lyrique.

● On raconte que François Villon, emprisonné à Orléans, en 1460, fut délivré par l'intervention du duc Charles d'Orléans à l'occasion de la première entrée de sa fille, Marie d'Orléans, dans la capitale du duché. Vous imaginerez que l'auteur du *Testament* écrit au duc pour le remercier de cette faveur.

———————

TABLE DES MATIÈRES

Pages

TABLEAU CHRONOLOGIQUE DE LA POÉSIE LYRIQUE AU MOYEN
AGE 4

LE CHÂTELAIN DE COUCY ET LA DAME DE FAËL
    I. Chanson de croisade 6
    II. Chanson de la dame de Faël 10

GACE BRULÉ
    Chanson 12

RICHARD CŒUR DE LION
    Rotrouenge de la captivité 16

CONON DE BÉTHUNE
    I. Chanson de croisade 20
    II. Chanson de croisade 24
    III. Chanson courtoise 28

GAUTIER D'ÉPINAL
    Chanson courtoise 32

GUIOT DE PROVINS
    I. Chanson courtoise 34
    II. Chanson courtoise 36

RICHARD DE FOURNIVAL
    Chanson 40

COLIN MUSET
    I. Bon feu, bons morceaux, vins frais 42
    II. Le bonheur de Colin Muset 42
    III. Les profits et les déboires du métier de trouvère .. 46
    IV. Chanson courtoise 48
    V. Reverdie 50

THIBAUT DE CHAMPAGNE
    I. Chanson d'amour 54
    II. Chanson du Phénix 58
    III. Pastourelle 60
    IV. Chanson de croisade 64

RUTEBEUF
    I. C'est de la povreté Rutebeuf 68
    II. Dit des ribauds de grève 72
    III. Dit des béguines 72
    IV. Prière 74

Pages.

GUILLAUME DE MACHAUT

    I. Ballade.. 77
   II. Ballade.. 78
  III. Rondeau 79
  IV. Rondeau 80
   V. Rondeau 80
  VI. Le dit de la fontaine amoureuse 81

EUSTACHE DESCHAMPS 82

    I. Contre la mauvaise mer 83
   II. Le chat et les souris.............................. 85
  III. Comment le chief et les membres doivent aimer
       l'un l'autre 86
  IV. Ça, de l'argent 87
   V. Paris.. 89
  VI. Les valets rusés 90
 VII. Chant funèbre en l'honneur de Du Guesclin... 91
VIII. Conseils à un ami sur le mariage................ 93
  IX. Remerciement pour un cadeau................... 94
   X. Plaintes d'amoureux 95

CHRISTINE DE PISAN.................................... 96

    I. Ballade 99
   II. Les douceurs du mariage 100
  III. Ballade du doux ami 101
  IV. Solitude... 102
   V. Ballade de la maladie............................ 103
  VI. Dits moraux à son fils 105
 VII. Rondeau 106
VIII. Ditié de Jeanne d'Arc............................ 106

CHARLES D'ORLÉANS.................................... 108

    I. En regardant vers le pays de France.............. 109
   II. En la forêt de Longue Attente 110
  III. Pourquoi m'as-tu vendu, Jeunesse ? 111
  IV. Encore est vive la souris 112
   V. Je meurs de soif 116
  VI. La louange de sa dame 117
 VII. Ballade sur la paix 118
VIII. Rondeau 120
  IX. Rondeau 121
   X. Rondeau 122

DOCUMENTATION THÉMATIQUE 123

JUGEMENTS SUR LA POÉSIE LYRIQUE DU XIIIᵉ AU XVᵉ SIÈCLE. 135

SUJETS DE DEVOIRS 138

IMPRIMERIE HÉRISSEY. — 27000 - ÉVREUX.
Dépôt légal Décembre 1975. — Nᵒ 33918. — Nᵒ de série Éditeur 12020.
IMPRIMÉ EN FRANCE *(Printed in France).* — 34 763 C-Mars 1984.